D0902846

LES CARICATURES DE

LES CARICATURES DE

Cayouche

260 dessins par

Réal BÉRARD

sélectionnés par

Bernard BOCQUEL

Les Éditions du Blé
Saint-Boniface (Manitoba)

Les Éditions du Blé
remercient chaleureusement
le Conseil des Arts du Canada,
le Conseil des Arts du Manitoba et Francofonds
pour leur contribution à la publication de cet ouvrage.

Les Éditions du Blé remercient également
le conseil d'administration et la direction
de Presse-Ouest Limitée, société éditrice de *La Liberté*,
pour leur collaboration à la préparation de ce recueil.

Les artisans qui ont contribué
à la production de ce livre sont :
Gilbert Painchaud, David McNair,
Laurent Gimenez, Réal Bérard,
Bernard Bocquel et Lucien Chaput.

Les Éditions du Blé
C.P. 31, Saint-Boniface (Manitoba) R2H 3B4

Données de catalogage avant publication (Canada)

Cayouche.

Les caricatures de Cayouche

Les caricatures auparavant publiées dans *La Liberté*.
ISNB 2-921347-14-8

1. Caricatures en page éditoriale – Manitoba – Winnipeg.
2. Canada – Politique et gouvernement – Caricatures et dessins humoristiques. 3. Manitoba – Politique et gouvernement – Caricatures et dessins humoristiques. 4. Canada – Conditions sociales – Caricatures et dessins humoristiques. 5. Manitoba – Conditions sociales – Caricatures et dessins humoristiques.
6. Humour par l'image canadien – Manitoba.
I. Bocquel, Bernard. II. Titre.

NC1449.C39A4 1992 971.064'0207 C92-098135-6

À mes amis
et aux personnes caricaturées

INTRODUCTION

Le premier Cayouche est publié dans l'hebdomadaire *La Liberté* en mai 1978, au plus fort de la crise de l'école du Précieux-Sang, à Saint-Boniface. L'enjeu du différend : que l'école soit désignée française et non 50-50, mi-français, mi-anglais. Le problème : l'opposition de trois commissaires. Comme il se doit, des comités se forment, des stratégies se concoctent, le pouvoir ne bouge pas.

Réal Bérard, père de trois enfants fréquentant l'école du Précieux-Sang, propose ses armes : une caricature pour *La Liberté*, l'hebdomadaire de langue française du Manitoba, et une série de caricatures dessinées sur de grandes toiles, véritables bannières que des jeunes mettent sous le nez des commissaires réfractaires lors d'une réunion publique. Pour des leaders catholiques dont l'action en faveur de l'école voisine Holy Cross venait d'être remarquée par le pape, les dessins font mal.

«Les crocodiles, tu vises leur point sensible : derrière l'oreille. Il fallait les poigner par l'Église, mettre en évidence le désaccord qu'ils semaient dans la paroisse. Pour moi, l'affaire était dans un cul-de-sac, et je voyais les caricatures comme une dernière série de cartouches qu'il fallait tirer. Personne ne m'a demandé de les faire. Je suis allé proposer les grandes au comité pro-école française et j'ai apporté la petite à *La Liberté*, qui l'a publiée en première page. La caricature a circulé.»

(18 mai 1978)

Le reste fait partie de l'histoire des Canadiens français du Manitoba; une histoire que nous reprenons en septembre 1982, lorsque la direction de *La Liberté* accepte la proposition de Réal Bérard de publier un Cayouche par édition. L'artiste pouvait enfin donner libre cours à ses talents de caricaturiste et, tout spécialement, à sa fibre canadienne-française.

«La plupart du temps, je travaille sans penser. Les idées me passent par la tête, elles arrivent d'un bord, elles arrivent de l'autre, elles rentrent dans le moulin, elles ressortent comme ci, elles ressortent comme ça. Je n'ai jamais essayé de m'analyser, de démancher le moulin pour savoir comment il fonctionne. Mon crible, je ne le comprends pas, je ne suis pas capable de l'expliquer. De toute façon, je ne cherche pas à l'expliquer, je n'ai pas de temps à perdre avec moi-même, j'ai beaucoup trop de choses à apprendre. Le Joual m'oblige à faire de la recherche, à fouiller ici, là. Il m'impose une discipline, des pensées.»

Le Joual, c'est Cayouche, une des facettes de Réal Bérard. Il a choisi un pseudonyme — le nom que les Métis donnaient au petit cheval sauvage des Prairies — par souci de protéger ses trois enfants. Il sentait aussi le besoin d'établir une distinction entre son travail d'artiste et son engagement comme caricaturiste. «J'ai cru nécessaire de construire une barricade pour séparer deux mondes. Il y a bien des compagnies qui rôdent sous deux ou trois noms différents parce qu'elles y voient des avantages.»

Différents noms certes, mais un même besoin artistique. «Des toiles, des dessins, des gravures, des sculptures sans vie sont inutiles. Un artiste veut susciter des émotions. Pour être heureux, il faut que je rende du monde heureux. On peut voir les Cayouche comme des genres de petits cadeaux. Quand je les fais, je me sens une espèce d'utilité, j'ai le sentiment d'accomplir quelque chose. Il me semble que le caricaturiste doit être une conscience. En tout cas, il doit œuvrer dans cette direction. Si je n'arrive pas à être une conscience, c'est que je ne suis pas assez bon caricaturiste.»

L'approche du journaliste est différente selon qu'il travaille pour un hebdomadaire ou un quotidien. La règle s'applique aussi à la caricature politique. «Les sujets pour un hebdomadaire mûrissent plus lentement, il faut qu'ils se conservent mieux. Un coup que j'ai l'idée, le dessin est fini, je ne fais pas d'études ou de croquis. Quand j'exécute le dessin, en général je pense au prochain. Des fois je trouve plusieurs idées, des fois aucune. On n'est pas un cadran, il n'y a rien de mécanique. Je suppose que ce doit être un brin pareil chez les journalistes.»

Disons qu'un journaliste a tout intérêt à éviter de devenir une machine et que les cadrans servent uniquement à rappeler les heures de tombée. Néanmoins, dans un métier exigeant parfois des décisions rapides, quelques automatismes bien ancrés sont salutaires. Et lorsque Cayouche a proposé sa caricature en mai 1978 aux deux journalistes de *La Liberté*, Marc Labelle et moi-même, ils surent vite qu'ils tenaient entre leurs mains la «une» de la prochaine édition.

L'essence du métier de journaliste se résume en un verbe : choisir. Constamment, des choix s'imposent : choix de la nouvelle, choix du traitement de la nouvelle, choix des informations contenues dans la nouvelle. À l'arrivée de Cayouche à *La Liberté* en septembre 1982, il revenait au rédacteur en chef Jean-Pierre Dubé de choisir de publier ou non les caricatures de Réal Bérard. Cette responsabilité m'a incombé entre septembre 1984 et mars 1990 en ma qualité de directeur et rédacteur en chef de l'hebdomadaire. Pour la petite histoire, j'ai très rarement refusé de publier un Cayouche.

En sélectionnant pour ce recueil de 144 pages des Cayouche publiés dans *La Liberté* entre septembre 1982 et août 1992, les critères étaient bien entendu d'une autre nature. Il m'importait de rendre justice à l'ampleur de l'œuvre, c'est-à-dire de vous proposer un concentré du monde du Joual. Dès les premiers Cayouche, il était en effet frappant de constater jusqu'à quel point Réal Bérard offrait aux lectrices et lecteurs de *La Liberté* un monde cohérent se déployant dans deux directions : la caricature politique proprement dite et l'illustration de pensées et réflexions. Assez vite aussi, le Joual, que Réal Bérard dit avoir «apprivoisé tranquillement», a fait son apparition dans les caricatures.

Les Cayouche choisis ont été répartis en cinq sections : le Menton, la Politique, la Vie, le Monde, le Joual. Une répartition pour faciliter votre plongée dans ce recueil, tout en tâchant de rester fidèle aux grands courants irriguant l'œuvre. Les cinq sections sont précédées de quelques commentaires personnels sur le rôle essentiel de la caricature dans la presse écrite, où les photos et les illustrations sont aussi importantes que les mots. Mais le parti pris était de donner la parole à l'artiste. Celles et ceux connaissant un peu Réal Bérard savent déjà que les grandes théories leur seront épargnées : «Je n'ai jamais analysé mes caricatures. Je n'ai pas le temps de tomber en morceaux et de me disséquer. Qui je suis, ça ne m'intéresse pas quand même.» Pas de grosses envolées théoriques donc, plutôt une conversation entre amis, juste et sans fioriture, remplie de poésie. Une poésie simple et vraie, écho de ses racines canayennes et de sa terre natale, la Rivière-aux-Rats, située au sud-est du Manitoba.

Bernard BOCQUEL

L'ARTISTE ET LA CARICATURE

Il faut voir la caricature comme on aborde la musique. En effet, le monde de la caricature est aussi vaste que celui de la musique : il y en a pour tous les goûts. Tous les genres de caricatures coexistent : populaire, choquant, drôle, classique, sans oublier nationaliste, telles ces musiques créées afin d'affirmer l'identité de peuples. La variété des approches et des styles de dessins tient bien sûr à la nature même de la création. Puisque le caricaturiste veut provoquer des réactions, réveiller des sentiments, enflammer des émotions, il doit s'ajuster à son public.

Chacun a évidemment sa manière bien à lui de susciter des émotions, les plus doués pouvant rester totalement eux-mêmes en exerçant leur talent dans plusieurs registres. Certaines caricatures se limitent à quelques traits simples, nerveux, dépouillés, pour donner une impression volontairement inachevée, trait d'esprit jeté sur papier, coup de cœur demain remplacé par un autre. C'est peut-être du jazz, qui accepte l'éphémère de l'improvisation. Et puis il y a la musique plus classique, le dessin travaillé, qui est réussi s'il invite à un deuxième coup d'œil; car rien ne saurait être pire qu'une belle caricature vide de sens.

Un tel parallèle entre la caricature et la musique devrait évacuer la discussion de savoir si, oui ou non, la caricature est un art mineur. Il y a tout simplement des bons caricaturistes qui savent viser souvent juste et d'autres dont les intentions s'expriment avec un bonheur moins égal, comme il existe de bons compositeurs et des compositeurs sur la voie de l'oubli.

La caricature, c'est la composition en image d'une idée, d'un sentiment, comme une pièce musicale est la mise en son d'une émotion, d'un rythme. Si l'idée est bonne, si elle est bien traduite

Joe Clark (3 mai 1991)

en traits, la caricature ne saura laisser indifférent. Et c'est bien le seul critère qui vaille pour juger de la réussite d'une caricature : a-t-elle frappé juste, a-t-elle provoqué la colère si elle tenait à hurler son message? A-t-elle suscité l'indignation si elle voulait crier au scandale? A-t-elle fait rire aux larmes si elle cherchait à stimuler la joie, brocarder un tout-puissant-politicien, ridiculiser un mégalomane? A-t-elle forcé à la réflexion, si elle voulait dire tout le drame d'une guerre?

Plus que jamais, à une époque saturée d'images en perpétuelle concurrence, la caricature est le moyen par excellence de retenir l'attention. Dans ce monde où l'image se rabaisse souvent pour attirer le chaland, le caricaturiste a l'avantage de pouvoir crier haut et fort sans avoir le sentiment de s'abaisser. En effet, le besoin de retenir l'attention est bien le premier motif de la caricature, cette juste outrance des traits forçant le spectateur à devenir acteur, à embarquer dans la scène qui se déroule sous ses yeux, à découvrir les autres détails, à s'amuser, à s'indigner, à réfléchir : «Mais comment a-t-il fait pour penser à ça? Mais comment se fait-il que je ne pense pas comme ça? Mais pourquoi je ne pense pas comme ça?» Ensuite, en tournant la page, consciemment ou non, le prochain article ne saurait être parole d'Évangile. Ainsi, un journal désireux de véhiculer des opinions ne saurait être complet sans une caricature. Car aisément abordable, elle devient cette fenêtre susceptible d'éclairer des colonnes de textes ou, à l'occasion, ce miroir capable de renvoyer la réalité sous un jour nouveau. La tradition de la presse canadienne voulant qu'aucun journal digne de ce nom ne puisse se passer d'un caricaturiste est la plus saine.

Dans le bal incessant de l'actualité, la caricature offre donc le moyen par excellence de mettre des événements en perspective en permettant aux lecteurs de ramener à leurs justes proportions les hauts faits des gens occupant l'avant-scène politique. Le métier de caricaturiste est d'utilité publique.

C'est dire aussi jusqu'à quel point la bonne santé de la caricature est un juste baromètre de la bonne santé démocratique d'un pays. Car dès l'instant où l'autorité ne tolère plus sa mise en caricature, elle s'érige en absolu, refuse de se regarder en face, c'est-à-dire d'être jugée devant le tribunal populaire permanent. Étant entendu que la qualité du «procès» dépend de la force du caricaturiste; une force directement fonction de ses capacités créatrices. *(C'est rappeler dans le même élan combien les créateurs sont la veine vitale d'une société.)*

Mais si le rôle social du caricaturiste-artiste mérite d'être souligné, en revanche il ne faut pas pousser l'image du caricaturiste justicier. Ce serait aller à l'encontre de l'esprit même de la caricature. Le caricaturiste politique est tout bonnement le bouffon qui a le privilège et l'ardent devoir d'appuyer à gros traits les petits et gros travers des multiples roitelets disposant d'un pouvoir, limité ou immense. Cette fonction de bouffon est d'ailleurs à l'avantage de toutes les parties. D'une part les personnes caricaturées sont régulièrement confrontées aux limites de leurs pouvoirs *(les plus intelligentes d'entre elles pouvant même apprendre des choses d'une caricature)*; d'autre part les citoyens sont rassurés de savoir que l'autorité n'est pas intouchable *(les plus motivés ayant même le loisir d'en retirer quelques bonnes questions; voir ci-dessus).*

La caricature politique n'est donc pas à sens unique. Pousser cette logique jusqu'au bout exige d'envier les gens de pouvoir présentant des caractéristiques morphologiques bien tranchées. Car plus elles sont aisément caricaturables, plus le caricaturiste est à même de ramener leur ego à des proportions démocratiques. Au risque de passer pour farfelu, suggérons par exemple que le menton de Brian Mulroney lui a permis, grâce au concours des caricaturistes-bouffons, de garder sous contrôle une tendance naturelle à l'hyperbole. Ce menton qui était destiné à la caricature a permis à son propriétaire de ne jamais *(trop)* se surgonfler la tête.

(19 octobre 1990)

À l'opposé, le non-menton de Joe Clark a obligé les caricaturistes à donner à l'ex-premier ministre canadien un crâne dont la taille est d'habitude réservée aux génies. Ce que l'intéressé a peut-être interprété en sa faveur, renforçant ainsi son estime de soi et garantissant dans le même souffle sa longévité politique. Envisagée ou non sur le mode de la plaisanterie, il reste que, bien comprise, la caricature est un gage de liberté s'exerçant à l'avantage de tous.

Cette liberté, l'artiste Réal Bérard, sous le pseudonyme de Cayouche, en fait usage depuis 1982 dans *La Liberté*. Cayouche, le joual-bouffon borgne, qui a su, comme aucun autre caricaturiste politique au pays, exploiter le filon du menton mulroneyen.

Grâce à lui, *La Liberté* se raccroche solidement à la grande tradition des journaux donnant de la voix en mots et en images. Il s'agit là d'une situation dont il faut souligner le caractère exceptionnel dans le monde des hebdomadaires. En effet, si un hebdo est probablement ouvert à la caricature, ses moyens financiers ne lui permettent souvent que des contributions épisodiques, de qualité généralement limitée, bancs d'essai ou péchés de jeunesse d'illustrateurs de bonne volonté, à l'esprit parfois incisif, mais handicapés par des crayons peu affilés.

Un véritable artiste sait créer de la lumière, seule manière de faire vibrer un tableau. Un artiste pratiquant la caricature avec intelligence ne saura peut-être pas faire toute la lumière, mais proposera à tout le moins un différent éclairage sur l'actualité. Ce sera un coup de flash ou un coup de projecteur, dépendant du degré de réussite de la caricature. Réal Bérard est plutôt du genre à vouloir laisser le projecteur allumé. Par la force des choses : travailler pour un hebdomadaire, dont les délais de parution, une fois le journal bouclé, sont nettement plus longs que ceux du quotidien, l'oblige à examiner l'actualité d'un œil différent. Il doit nécessairement prendre plus de recul : lorsque la caricature est publiée, elle ne doit pas avoir été bousculée par les événements. Cette approche, qui correspond de surcroît au caractère d'un artiste plus préoccupé par les grands courants que par les vicissitudes de la politique au quotidien, explique que tant de Cayouche gardent, au-delà des années, une valeur dépassant l'intérêt anecdotique.

Lorsque Réal Bérard propose ses services à *La Liberté*, l'artiste est un quadragénaire en pleine possession de son art; un art pour lequel il accepte une rétribution très modeste; un art qu'il va mettre au service de ses idées, marquées au sceau de l'ouverture d'esprit et d'une fidélité à ses racines, sa canayennerie. Et, fait plutôt rare dans la presse, son art se déploie sur deux niveaux : la caricature politique, et l'illustration de pensées. Dans le premier cas, il met son talent de caricaturiste au service d'une opinion politique. Dans le deuxième cas, l'imagier met son art au service d'opinions qui l'ont marqué.

Ces deux courants sont présents dès les débuts de Cayouche, comme si la voix du respect humain ne pouvait pas crier assez fort dans l'étroitesse de l'actualité; comme s'il était vital que la dimension humaine ne fût jamais noyée dans l'agitation politique quotidienne ou les crises traversées par la francophonie manitobaine. Cette double dimension montre jusqu'à quel point Réal Bérard a choisi d'ouvrir aux habitués de Cayouche les portes d'un monde où la poésie est au centre de la vie, un monde où la laideur n'arrive jamais à chasser toute la lumière. À l'exception — et encore — des caricatures-ruades contre les anti-francophones primaires, il baigne souvent un rayon de poésie dans un Cayouche.

Chaque caricaturiste a son style; et le style c'est le trait, une indication sûre du tempérament de la personne. Ou, à tout le moins, du genre de caricature que le créateur propose. Comme certains musiciens peuvent s'exprimer dans plusieurs styles, certains artistes ont le luxe de pouvoir transmettre différentes sensibilités. Cela précisé, l'essentiel est l'adéquation entre l'idée du caricaturiste et son expression graphique. Pour garder l'analogie musicale, disons qu'une caricature est réussie si les lignes du dessin sont en harmonie avec l'intention du dessinateur. Alors sont réunies les conditions d'un rapport efficace entre le caricaturiste et son public, car l'artiste aura su créer ce lien intangible, cet appel secret, cette attirance qui, dans sa plus complète expression artistique, permet, sur un plan personnel, de déterminer les compatibilités de sensibilités.

Réal Bérard a choisi le trait qui convenait le mieux au Joual. Ou, plus exactement, il n'a pas choisi de style, puisque le Joual est ce qu'il est, un bon tempérament, pas du tout le type nerveux hennissant sans arrêt. Le style, c'est le Joual. Et le Joual est solide, les deux fers bien à terre, la tuque bien mise, afin d'éviter le coup de soleil, ennemi mortel des chevaux. Cayouche, donc, — osons le mot — est un cheval de trait, de trait régulier, de sillon tracé pour durer. Du dessin de Réal Bérard ressort une volonté de permanence. Il y a en effet une intensité dans les lignes, une force, une honnêteté, un calme qui laissent un sentiment de permanence. Rien ne flotte, rien n'ouvre la porte à l'éphémère, rien n'est griffonné, rien ne suggère la rage brouillonne. Et si des fois le trait s'emporte, lorsque le Joual va ruer un tantinet, c'est juste pour respecter l'éclat vif de son œil. Mais en règle générale, la force du trait tranquille prévaut.

Prenons par exemple un Cayouche publié en 1986 mettant en scène Howard Pawley, un ancien premier ministre manitobain qui n'a pas précisément été un modèle de leadership décisif. Alors qu'il traînait indûment pour former un gouvernement, Réal Bérard a eu l'idée de le représenter en tortue; une tortue coincée sur un poteau planté dans une mare asséchée. Le trait est impitoyablement solide, net, détaillé. C'est évident : le chef néo-démocrate restera bloqué là, figé à tout jamais. Cette caricature est un aboutissement, car la magie de l'adéquation entre l'idée et la mise en scène graphique fonctionne parfaitement. L'indécision transmuée en chef-d'œuvre : Howard Pawley mérite au moins de passer à l'histoire de la caricature.

Howard Pawley (4 avril 1986)

Au-delà des qualités artistiques de Réal Bérard, il faut remarquer sa volonté d'être en tout temps lui-même, de travailler avec ses outils, son vécu, authentiquement canadien, au sens plein, c'est-à-dire canayen. L'artiste va couper les arbres de sa forêt, sait choisir ses bûches avec soin, afin d'éviter que le poêle ne boucane ou ne brûle trop vite ou trop fort. Et le caricaturiste sait quand tisonner les braises! Cette constance à passer l'actualité au crible canayen a pour résultat évident de donner une voix authentique à Cayouche. Mais il faut aller plus loin. En puisant dans le fonds commun, en sachant quelle corde sensible toucher, en utilisant Séraphin *(l'avare, pas l'ange!)*, en se servant du petit catéchisme, en évoquant des chansons populaires, il rappelle que la sève coule dans l'arbre canayen. Mieux : en mettant l'actualité en scène à la manière canadienne-française du Manitoba, en la «canayennisant», le caricaturiste fait bien plus que de remettre des personnes publiques à leur place ou de donner matière à réflexion : il renforce chez les lecteurs de *La Liberté*, semaine après semaine, le sentiment d'appartenir à un monde capable d'interpréter les événements autrement.

Et c'est sans doute ce qui donne à Cayouche une place, sinon unique, du moins vraiment originale : la très large majorité des lecteurs peut s'identifier au Joual, parce que le Joual parle leur langage. Depuis Cayouche, le Manitoba français possède un outil de plus pour mieux se comprendre, pour être ce qu'il est.

CAYOUCHE
ET LA CARICATURE

Puisqu'il a toujours dessiné, puisque les Bérard ont en général un côté taquin, le don artistique allié à cette caractéristique familiale font de Réal Bérard un caricaturiste né, un talent dont il a fait usage bien avant qu'il ne baptise Cayouche cette facette de sa personne.

Pourtant, pendant ses études à l'École des beaux-arts de Montréal *(1954 - 1957)*, ses professeurs ne l'ont guère encouragé dans cette voie : «Je faisais beaucoup de caricatures à ce temps-là. Ils n'aimaient pas trop trop ça.» Mais il en faut plus pour contrarier une vocation, surtout quand elle trouve du combustible au Mexique, où Réal Bérard a poursuivi ses études *(1961-1963)* et rencontré sa femme, Éva Navarrete. «Là, j'ai appris le lien entre la politique et l'art, l'art au service de la société.»

Une expérience sans doute importante, bien qu'il faille souligner que le rôle social de l'artiste fait tout simplement partie de cet homme attaché au respect des différences. «Je me rappelle des tournées en campagne avec mon père. Il voyait une étable et il disait : ça, c'est un Allemand; ça, c'est un Ukrainien. Dans la vie, il n'y a pas juste la langue : il y a la popote, les coutumes, l'architecture. Aujourd'hui, les fermes sont toutes devenues pareilles. Il me semble qu'on devrait être plus sensible à ses origines.»

Cette nécessaire sensibilité, Cayouche ne manque pas une occasion de l'exprimer, en utilisant expressions et mots canayens *(«De cossé qui gravouille dans ta bottine?»)*, en dessinant des objets dont les lignes ont des odeurs et une saveur typiques, loin des produits de consommation de masse. «Si on parle le langage de chez nous, aussi bien vivre dans un décor de chez nous. C'est pas nécessaire, mais je le fais pour m'amuser, j'ai un faible pour les vieilleries, les choses authentiques de chez nous. Avec la mentalité du melting pot américain, le Texas ou Saint-Boniface, ça devient le même tableau, les mêmes chaises en chrome. Le melting pot, ça étouffe un tas de nous autres. C'est évidemment une question d'attitude, de choix à faire. Il y a des gens qui veulent se fondre dans une masse et devenir pareils. Peut-être par insécurité? C'est vrai que c'est facile d'être pareil dans un grand rassemblement et que c'est pas facile d'être seul dans la foule. Je l'ai été comme fonctionnaire provincial entre 1954 et 1990. Et c'est vrai que là, c'est facile de s'assimiler, de choisir d'envoyer ses enfants à l'école anglaise. C'est le droit de chacun, il n'y a pas de rancune. Je ne veux pas changer les autres et je ne veux pas être obligé d'être comme les autres. C'est pas l'affaire d'être plus fin ou plus fort, c'est juste comme ça. D'ailleurs, je parle pour mon sentier. À chacun le sien. Je ne sais pas où les autres veulent aller. Si j'avais vécu à Vita, j'aurais appris l'ukrainien. Ça ne m'aurait rien enlevé, ça n'aurait fait que m'enrichir davantage. Il ne faut pas renier ce qu'on considère fondamental à soi et toujours en ajouter pour se dépasser.»

(11 décembre 1987)

C'est dire si au-delà du style, du coup de patte, Cayouche est bien d'abord le monde d'un artiste, qui défend à travers une illustration hebdomadaire ses valeurs, sa vision de la vie, où le respect d'autrui et la défense du petit forment les piliers centraux, le fil conducteur de plus de 500 caricatures. Encore que le mot caricature ne s'applique pas lorsqu'on pense aux Cayouche illustrant des pensées choisies pour mieux prendre du recul sur l'actualité. Resoulignons-le : dans le monde de Cayouche, l'actualité n'est pas une fin en soi, et tous les outils sont bons pour la mettre à sa place. Le message fondamental est toujours le même : il faut examiner les événements à sa manière, en fonction de ses valeurs, sans se laisser bousculer.

Les artistes ont-il des dispositions particulières leur permettant de poser un regard aussi personnel? «On ne fait jamais assez pour démystifier les arts. C'est souvent un monde tellement prétentieux. Combien de professeurs passent leur temps à bâtir des mythes, à sortir des grandes théories sur l'interprétation des arts? Mon professeur au Mexique, le muraliste José Gutiérrez, disait : on n'a pas de temps à perdre avec la philosophie, ici on apprend la technique. À chacun de se trouver une personnalité à travers la ligne, la couleur. Un artiste se nourrit d'abord de sentiments. Quand j'embraye sur le chevalet pour exprimer mes émotions, je ne pense pas, c'est l'intuition et l'instinct qui me guident. Surtout, je n'essaye pas de raisonner les choses, je les laisse faire, comme *La Liberté* me laisse faire en me donnant le privilège de m'exprimer».

Peut-on cultiver son intuition? «Je ne sais pas. Mais il faut lui donner la chance de s'épanouir. Faire place à l'intuition, c'est une question de confiance dans la destinée. On tâche d'influencer les événements en prenant une attitude positive. L'intuition, c'est l'outil des petits enfants. Et trop d'adultes ont perdu l'enfant en eux-mêmes. Chez moi, le côté enfant n'est jamais pris, il trouve toujours une manière de s'exprimer. C'est l'adulte qui a des problèmes. Le Joual est plus enfant qu'adulte. Je le remarque dans son comportement, dans sa manière de voir et de faire les choses.»

Quand il place une couronne sur une porte au milieu d'un champ, par exemple? «C'est le temps des Fêtes, tu veux accrocher une couronne, il faut une porte, le Joual installe une porte au milieu de nulle part. Comme l'enfant, il peut se permettre de faire ces choses-là. Évidemment, tout de suite, l'adulte pense que c'est pas raisonnable, pas fonctionnel, pas pratique.»

Alors Cayouche passe parfois à travers l'adulte afin de toucher l'enfant? «Je pense bien que oui. C'est une autre manière de traverser une porte pour rentrer dans un autre monde. C'est peut-être aussi ça, la mort : une porte à traverser! Les animaux ont des pressentiments, le Joual peut bien aussi avoir ses pressentiments.»

(19 décembre 1986)

Donc, inutile de vouloir chasser le naturel chez le Joual? «Surtout pas! Les enfants veulent faire les choses à leur manière, et s'ils patentent des tortues à cinq pattes, c'est de leurs affaires. Moi aussi, je veux me donner la chance de découvrir tout seul. Je ne veux pas prendre les idées des autres et les ajuster à ma façon. Ça serait en faire des trucs pour me cacher en dessous. J'ai toujours cette peur de commencer à sentir comme les autres, il y a tellement de belles œuvres qui peuvent nous influencer. Alors je m'oblige à chercher. Il faut s'imposer des disciplines et celle-là, je me l'impose. Il y a le danger de réaliser des choses bien mauvaises. Si oui, j'en subis les conséquences. Au moins, j'aurai eu la satisfaction d'avoir cherché, comme les vieux prospecteurs. Chercher, c'est le plus important, c'est la manière de se comporter. Trouver, c'est simplement le résultat. J'ai connu un prospecteur qui avait trouvé le gros filon. Dans le fond, il était déçu, il n'avait plus de raison de chercher.»

Et où prospecte le Joual? «Dans un tas d'endroits! Ça dépend de ce qu'il cherche. Si le prospecteur veut du dessert, il va dans le verger, pas le potager. Par exemple, il va écornifler du côté des chansons pour trouver des idées. Des fois il trouve des petits trésors, des fois des gros trésors. Mais c'est pas tout de trouver la concession, ensuite il faut la vendre à *La Liberté*! Des fois il y a des imprévus : tu cherches de l'or et tu trouves un fer à joual. Ce qui compte, c'est la démarche. Le Manitoba a été prospecté de long en large, de fond en comble et d'un bout à l'autre, pourtant il y en a qui persistent, qui gardent l'espoir. Et certains vont trouver. Dans les arts, c'est pareil.»

Donc, un artiste est avant tout un prospecteur... «Et quand il fait de la caricature, il devient aussi un peu trappeur. J'ai toujours rêvé de devenir trappeur. La caricature, c'est le piège. J'en ai posé plusieurs sur le libre-échange. On ne sait pas comment ça va tourner. Faut attendre, je ne sais pas encore si j'ai piégé ou non. Pour Panama en 1989, j'ai cru que l'invasion américaine allait éclater à la face de George Bush. Il y a des fois un danger à vouloir piéger trop vite! J'ai bien peur que je ne retrouverai plus mon piège. C'est une défaite pour le caricaturiste.»

Brian de Florette ? (27 mars 1992)

Peut-être que ce n'était pas le bon piège? «Il faut effectivement faire bien attention au genre de piège. C'est comme à la chasse. La comparaison est un peu poussée, mais c'est sûr qu'il faut choisir les bonnes munitions. Le lièvre, tu le chasses à la petite 22 et tu vises la tête pour ne pas abîmer la peau. C'est important de faire le moins de dommage possible. Et si tu tires un crocodile, tu ne te sers pas des mêmes munitions que pour un écureuil. Ils ont la peau plus épaisse. Ceux qui ont une carapace, il faut les tirer derrière les oreilles, sinon tu tires pour rien. Dans la caricature, je crois bien que c'est un peu pareil : il faut frapper à la bonne place. C'est un principe dans les arts : faire le plus possible avec le moins possible.»

Ça veut sans doute aussi dire qu'il ne faut pas tuer une mouche avec un marteau? «Exactement. Il faut faire le tour des angles et prendre celui qui s'adapte le mieux au sujet. Entre la comédie et le drame, il y a plusieurs niveaux. Il y a toujours le danger d'aller trop loin, de prendre l'angle qui fait trop mal. Je ne voudrais pas faire mal au niveau personnel, je ne veux pas que la personne se sente attaquée personnellement : il y a des recoins chez l'humain où tu n'as pas le droit d'aller. On s'attaque aux idées politiques et non à la personne elle-même. Si c'était personnel, je ne serais pas à l'aise. Simplement, la nature de la caricature, l'arme du caricaturiste, c'est le ridicule vraiment exagéré. Des fois, je vois le caricaturiste comme un clown, quelqu'un qui fait ressortir des situations en utilisant l'exagération. Il n'y a pas de méchanceté chez le clown, il remplit simplement son rôle de bouffon. De plus en plus, j'admire les clowns.»

Et en priorité, qui les clowns doivent-ils remettre à leur place? «Les extrémistes! Les fondamentalistes de toutes sortes écœurent le Joual. Je ne sais pas si je suis convaincu à 100 pour cent de quoi que ce soit. Même si la plupart du temps je tiens à mes idées, il me reste toujours des doutes. Tant qu'il y a un doute, tu continues à te questionner. J'ai bien l'impression que certains écologistes sont de travers, ils tombent dans des extrêmes. Comme les anti-fumeurs : ce qui les dérange, c'est pas le mal que tu te fais, c'est que tu jouis de ta cigarette ou de ta pipe! Il faut faire ressortir les contradictions chez les fondamentalistes pro-vie d'un côté et en faveur de la peine capitale de l'autre. Sans oublier ceux qui veulent sauver des baleines et sont pro-avortement. Pour moi, ça ne fait pas de sens, je trouve ça carrément malhonnête. Quand il y a manipulation, il faut faire de la contre-manipulation, comme l'espionnage a son contre-espionnage. Quand il y a des grands courants de masse, je pense qu'il y a besoin de personnes qui contestent. Ça prend des avocats du diable, il faut aider le monde à se poser des questions. S'ils veulent s'en poser. Mais il n'y a rien de mal à se questionner.»

Cayouche cherche donc à influencer? «Je ne peux pas le démentir. Pourquoi? J'en sais rien, je suis fais comme ça, ça doit être inné chez des individus, c'est comme ça, ça finit là, je vois pas pourquoi je devrais changer, j'aime donner des coups de pied pour qu'on se pose des questions. Si à la fin du compte le Joual a tort, il va l'accepter. Quand on pense à un événement comme la guerre du Golfe en 1991, le caricaturiste peut juste pousser des petits cris, donner une raison de réfléchir, aider à trouver la vérité face à la puissance de l'engin de propagande.»

C'est le caricaturiste face à la grosse politique... «Il y a quelque chose qui me dégoûte dans la politique. C'est en partie pour ça que je fais de la caricature. Parmi mes sujets favoris, il y a les élections, c'est cousu de sujets à caricature. On parle d'une quarantaine de jours de quasi-comédie. Les grandes promesses électorales, c'est rien d'autre qu'une énorme comédie. Les

Élections au Manitoba (14 février 1986)

interactions entre les candidats et l'électorat garantissent le comble de la comédie : Y'a pas de rivière pour justifier un pont? On va en trouver une! Le caricaturiste est un monstre qui se nourrit de comédie et de drame.»

Nous voilà replongé dans les émotions... «Et il faut bien reconnaître que les deux côtés m'inspirent, les bonnes et les mauvaises émotions, la comédie et le drame dans l'actualité. Mais je suis aussi inspiré par les temps forts qui rythment les années, comme Pâques, Noël, ces périodes de grand recueillement où on chante des messages de paix, d'amour et de joie. Si les musiciens et les écrivains sont stimulés par ces fêtes puissantes, pourquoi pas les caricaturistes? Tous les arts sont en parenté. L'image peut suggérer la pensée, la pensée peut suggérer l'image. Un poème peut être la source d'une œuvre musicale, une musique peut déclencher une image, une image peut inspirer un compositeur. Les chansons sont pleines d'images. Ces dernières années, j'ai médité plusieurs livres du philosophe canadien Placide Gaboury, originaire du Manitoba. Mes couleurs se sont rencontrées avec sa pensée. Il dit qu'il faut se laisser pousser par le vent de l'intuition. Pour moi, il a bien expliqué ce que je ressentais. Pendant longtemps, des artistes ont essayé de me convaincre de faire plus confiance à mon cerveau qu'à mon cœur. Je n'ai définitivement plus de doute que j'étais sur la bonne voie.»

Lorsqu'on regarde les pensées illustrées de Placide Gaboury ou le traditionnel Cayouche à Pâques, le mot caricature n'est vraiment plus approprié... «Ce sont plutôt des illustrations de pensées, c'est l'autre dimension du Joual. Quand je m'efforce d'illustrer les sages dires des autres, c'est là où je me prends au sérieux. Quand on frôle la philosophie, l'environnement graphique doit être différent. Dans mon esprit, ce n'est pas que la sage pensée ait besoin d'être illustrée, c'est plutôt pour attirer l'attention sur elle. Des fois, quand même, je veux l'illustrer davantage, pour donner une coche de plus. Quand tu manges des patates, un peu d'assaisonnement, ça ne nuit pas; ou bien un brin de sucre dans le café. Encore que les vrais buveurs de café n'ajoutent rien : ils n'ont pas besoin d'illustration. Mais puisque j'aime illustrer, parce que c'est là où je trouve la plus grande liberté, j'essaie de faire arriver l'illustration et la pensée ensemble.»

Et si des fois l'illustration n'atteint pas son but? «Comme caricaturiste, c'est vrai, si t'es pas compris, tu perds ton temps, t'as manqué ton coup. Des fois tu frappes à 100 pour cent, des fois tu manques complètement. Dans le cas de certaines illustrations, il me semble que c'est un peu différent. On apprend tout le temps et il faut aussi donner au lecteur la chance de chercher. On ne peut pas tout comprendre d'un coup, tout ne peut pas tomber rôti. Il faut savoir faire un effort. Au bout du compte, j'aime autant rester incompris que de perdre mon temps à m'expliquer.»

(4 septembre 1992)

Cayouche n'a pas de compte à rendre? «Je pense que non. Moi, je fais mon ouvrage au niveau émotif, c'est le privilège d'être caricaturiste. C'est facile pour moi de faire le fou, des fois tu charries, tu charries toute la nuit tout ce qui te passe par la tête. Parfois, on frôle juste le bord de la ligne, on le présente au journal, on prend une chance. C'est le rédacteur du journal qui a le dernier mot, c'est lui qui fait le choix, c'est à lui qu'il faut s'adresser. Je me sens plus à l'aise de cette manière. Ça donne une espèce de sécurité. Quand il y a de l'orage, on le sait d'habitude après deux semaines en lisant les lettres à la rédaction.»

Mais les gros orages sont plutôt rares. Cayouche connaît trop bien les Canayens, il sait leur parler... «Certainement, le Joual veut se mettre dans l'esprit du lecteur et il n'emploie pas des grands mots. Mais attention! Quand le Joual parle, il ne parle pas le joual anglicisé qui a été un temps la mode au Québec. Pour moi, le Joual utilise le vieux canayen, le vieux français; il n'y a pas d'anglais dans ça. Le côté traditionnel est très important chez moi. Je ne peux pas accepter quand ça sonne faux. Il y a des mots sacrés : papa, maman, des mots d'enfants endormis à la berceuse, pas aux vidéos. Les invocations à Jeanne d'Arc sont mortes avec nos grands-mères et la télévision, mais un objet comme le berceau est enveloppé de toute une poésie, il fait partie du patrimoine canayen. On le retrouve dans les chansons, les contes, la littérature...»

Et on le retrouve en bonne place chez Cayouche! «... Si certains me trouvent vieux jeu, ça m'est égal. S'ils trouvent que ça fait muséologie, ça le fait, ça finit là. Il y a des expressions, des "hormis que", des vieilles odeurs, des vieux parfums que tu ne veux pas perdre. De toute façon, il y a mille et une choses qui font le bagage du Canayen. Comme la chanson par exemple. Entre le Canadien français et le Mexicain, il y a un parallèle : c'est deux peuples de fêtards, d'où l'importance de la chanson, sur presque tous les thèmes. C'est dur de généraliser, mais il me semble que les liseux de *La Liberté* sont pas mal attachés à la canayennerie. Alors quand Cayouche utilise des paroles d'une chanson, il n'a pas l'impression de se couper de la jeune génération, qui connaît aussi les vieilles chansons. De toute manière, la chanson populaire d'aujourd'hui est jouée à pleins poumons pendant six mois, puis elle finit dans la poubelle.»

Cette régulière volonté de puiser dans le patrimoine des chansons est certainement une des originalités de Cayouche... «Il y a une personnalité dans Cayouche, il a définitivement sa couleur. Il faut dire qu'il dispose de certains privilèges que les autres caricaturistes n'ont pas : il vit parmi un petit groupe. Alors c'est facile d'être original.»

Mais sur certains sujets, la caricature doit parfois être plus difficile, non? «Les Canayens du Manitoba, on se connaît pas mal tous. Des fois, on ne peut pas se permettre d'être trop méchant, on fait quasiment partie de la même famille, alors on ne peut pas tapocher trop fort sur le député. Ça n'empêche pas qu'on puisse à l'occasion laver notre linge sale en public. Mais en public, dans *La Liberté*, ça reste quand même en famille! Le Canayen, c'est du monde jovial, bien terre à terre, mais avec un côté fanfaron, péteux de broue poigné dans un faux orgueil.»

Faut-il s'étonner que le mot culture n'ait pas été associé à cette description succincte du Canadien français? «Je déteste l'utilisation que l'on fait de ce mot! Au Mexique, c'est rare qu'on l'entende. Ils sont ce qu'ils sont, ils le vivent. D'ailleurs, la langue, ce n'est pas nécessairement l'élément le plus important de la culture. Je peux parler le russe, ça ne fait pas nécessairement de moi un Russe. Le centre culturel à Saint-Boniface, si c'est vraiment un nid de culture, il fallait lui donner un vrai nom, l'appeler.... le Nid des outardes, par exemple. Outardes! Le mot est tellement beau, à comparer à celui de l'Académie : la barnache. Mais c'est méchant, barnache! Pour un oiseau aussi beau et fidèle que l'outarde, c'est une insulte! Quand on pense à leurs mouvements lents et doux, beaux comme leur chant. Quand on pense à la nostalgie de leur départ et à la grande joie de leur retour. Des fois, je soupçonne que le Joual est amoureux d'une outarde. Je ne dis pas qu'il va se marier. Non, il va rester vieux joual. Mais il a bien le droit d'être amoureux.»

LE MENTON

«Brian Mulroney,
tu lui enlèves son menton,
et il perd de son charme.»

«En caricature, on n'est jamais pris de court. On prend les traits d'une personne, on étudie les lignes de son visage, là où s'impriment les traces des émotions et on met la pédale au fond.»

«Les faiseurs d'affaires et les brasseurs ont généralement des traits physiques qui ressortent, des marques plus prononcées. Il y a des exceptions, comme l'ancien premier ministre manitobain Ed Schreyer. À l'époque au moins, il n'avait pas de traits distinctifs, il n'était pas caricaturable. Par contre, si Cyrano de Bergerac était en politique aujourd'hui, on pourrait vraiment jouer avec son nez.»

«Pour la caricature, un cours d'anatomie est bien important, même si on finit par faire les choses d'instinct. On sait bien que les intellectuels ont des gros crânes, les mystiques un grand visage long et mince et les athlètes de super-mâchoires. Brian c'est plutôt le type athlétique. Il a un menton fascinant. Alors on joue sur ça.»

«L'essentiel, c'est de ne jamais profiter d'infirmités. Quasimodo aurait été incaricaturable. Alors que le menton à Brian, c'est pas une infirmité, simplement un trait athlétique. Tu lui enlèves le menton, il perd son charme, et tout probablement, ça lui enlèverait quelque chose de son caractère. Maintenant, si Brian se comportait en Quasimodo, alors rien n'empêcherait le Joual de le caricaturer en Quasimodo.»

Cayouche a-t-il le sentiment d'y être allé parfois un peu fort avec le menton? «Si Brian change avec les événements, l'attitude envers lui va changer. Peut-être que la caricature est parfois de travers. Le Joual pense avec ses tripes, il n'est pas politicologue. Par exemple avec le libre-échange, on verra bien ce qui va arriver à plus long terme. Peut-être qu'au niveau financier ça ira mieux. Mais au profit de qui? En tout cas, si le Joual s'est trompé, je crois bien qu'il ira cogner à la porte de Brian, prendra une petite bière avec lui et dira : je m'excuse.»

SON CHIEN Y DORT OU Y'É MORT ?

(17 mai 1991)

Si Cléopâtre avait eu un petit nez, dit-on, la face du monde en aurait été changée. Si le chef du parti conservateur devenu premier ministre du Canada en 1984 n'avait pas eu cette proéminence, combien de grands Cayouche n'auraient vu le jour! Pour les lectrices et lecteurs de *La Liberté*, le menton de Brian est devenu synonyme des hauts et des bas du Canada. Tous les temps forts que le pays a connus depuis son accession au pouvoir ont trouvé leur expression dans la protubérance mulroneyenne. Pour remettre en mémoire les jalons importants de la politique canadienne de ces dernières années, il suffisait tout simplement de réunir les mentons et de les laisser défiler.

Le menton de Brian, exploité sans aucun doute d'une manière unique par Réal Bérard, pose une sérieuse concurrence au célébrissime appendice nasal de l'infortuné Cyrano de Bergerac. À un provocateur imbécile qui voulait l'insulter en lui faisant remarquer combien son nez était «...heu... très grand», Cyrano avait répliqué: «C'est tout? C'est un peu court, jeune homme. On pouvait dire... Oh! Dieu!... bien des choses en somme...»

«Très athlétique», le menton de Brian? C'est un peu lourd, mesdames et messieurs, cela manque un peu d'esprit caricatural. On pouvait dessiner : une arche de Noé, un piège à castor, une pente de ski, un violon, une palette de peintre et bien d'autres choses, en somme...

Brian Mulroney, chef des conservateurs (22 avril 1983)

(16 septembre 1983)

(2 décembre 1983)

(11 novembre 1983)

Le gramophone du vieux cowboy (4 mai 1984)

(2 septembre 1983)

(30 septembre 1983)

Élections fédérales (24 août 1984)

(10 mai 1985)

(23 novembre 1984)

Budget fédéral (31 mai 1985)

Privatisations? (28 août 1985)

(8 février 1985)

(22 novembre 1985)

Ministres démissionnaires (18 octobre 1985)

Tunagate (27 septembre 1985)

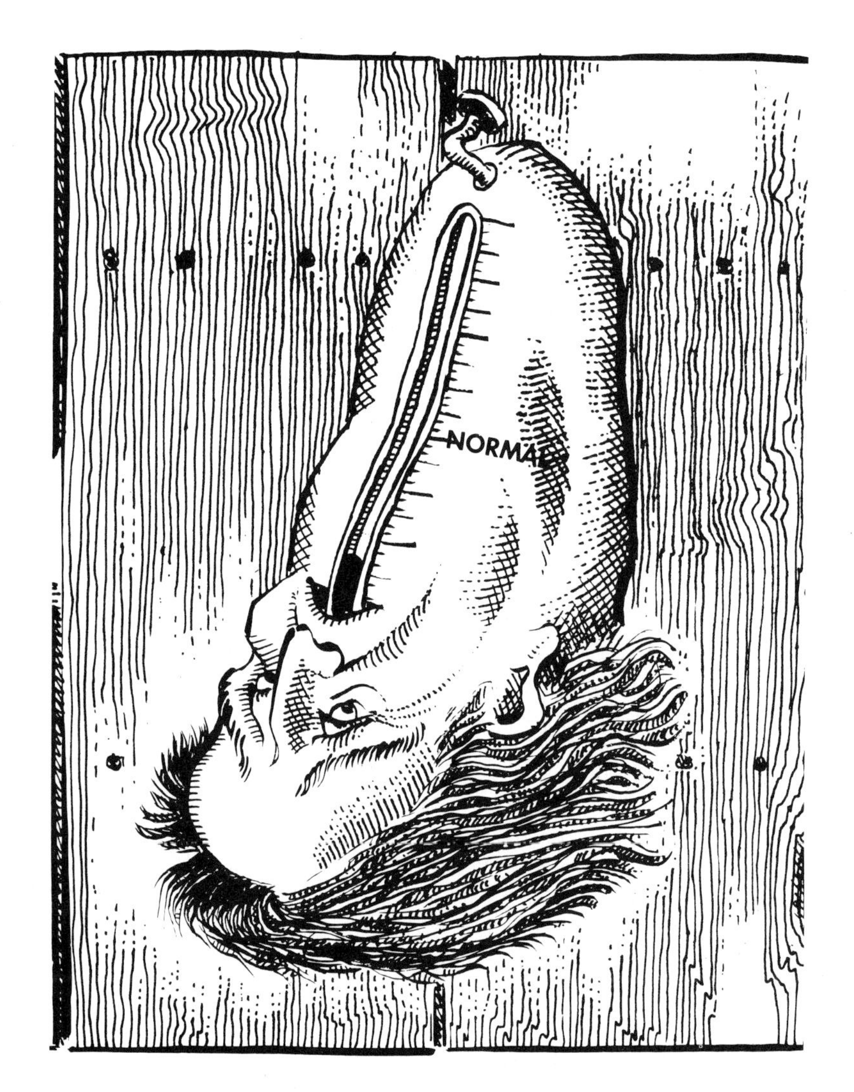

Chute de popularité (29 août 1986)

(28 février 1986)

(31 janvier 1986)

Les grenouillages d'une grue (3 octobre 86)

Sanctions contre l'Afrique du Sud (26 septembre 1986)

Le surréaliste de Baie Comeau (2 mai 1986)

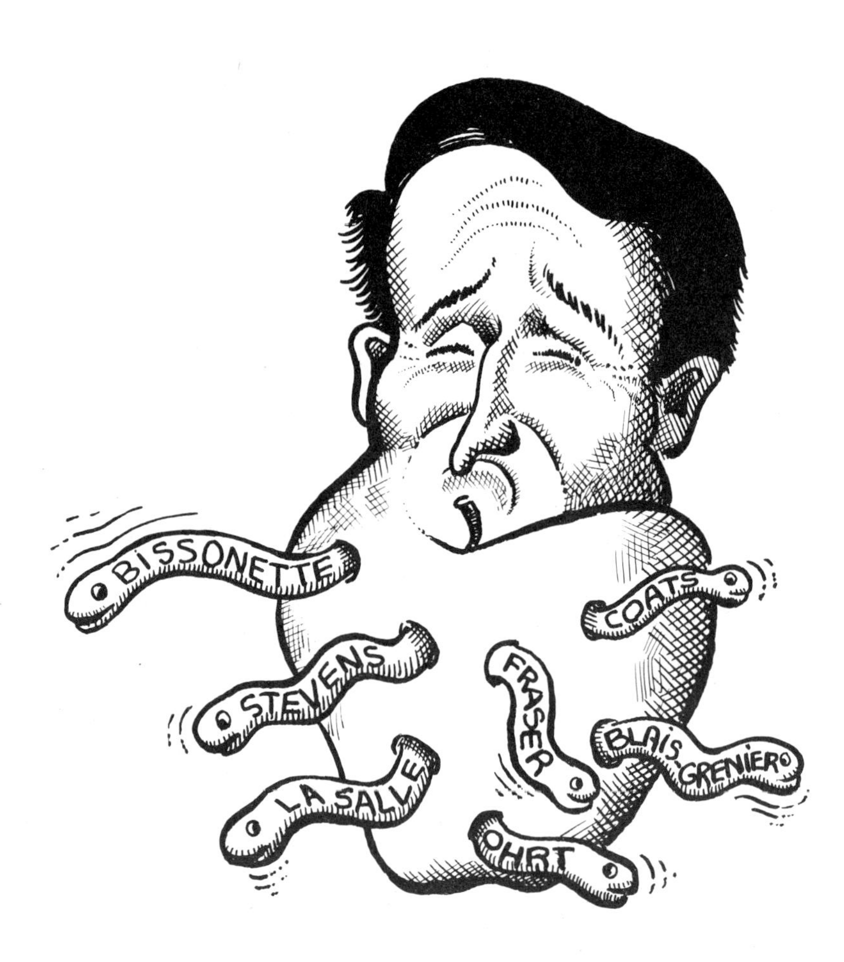

Ministres démissionnaires (27 février 1987)

Mauvais coup pour le Manitoba (21 novembre 1986)

(26 décembre 1986)

Hérodiade et Salomé (12 juin 1987)

(24 avril 1987)

Réforme fiscale (18 décembre 1987)

(25 décembre 1987)

(25 décembre 1987)

Jeux olympiques (9 décembre 1988)

(5 octobre 1990)

Coupures budgétaires à Radio-Canada (8 février 1991)

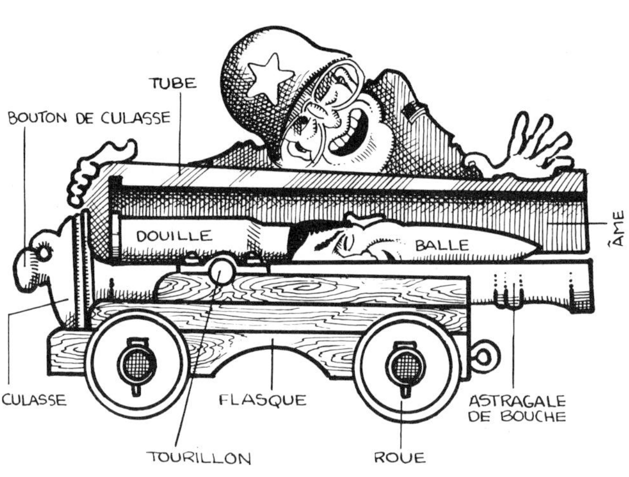

Guerre du Golfe (18 janvier 1991)

Après la guerre du Golfe (1er février 1991)

Libre-échange (19 juin 1992)

LA POLITIQUE

«Les caricaturistes anglophones
tapochaient sur les Canayens
et nous, du Manitoba,
on restait là comme des moutons.»

«Une caricature, ça se prend beaucoup plus facilement qu'un éditorial et ça touche tellement plus de monde. Les enfants peuvent comprendre les caricatures. L'image, c'est vite, c'est direct et ça peut être très puissant. Je me souviens, j'avais une dizaine d'années, d'une caricature dans le *Winnipeg Free Press*. Elle représentait le député libéral de Carillon, Edmond Préfontaine, en poule couveuse. Mais au lieu de couver des œufs, il réchauffait une poignée de porte en porcelaine. À l'époque, dans les années 40, tout le monde avait des volailles et pouvait déduire que d'après le caricaturiste, Edmond Préfontaine n'avait pas grande utilité.»

«Par rapport à la francophonie, au Manitoba, on a toujours

pu voir seulement un côté, celui des anglophones. Il y a un autre côté, notre côté. Mais on ne répondait pas, on répliquait seulement via des éditoriaux. Ça veut dire qu'on ne jouait pas à armes égales, parce que beaucoup de gens ne lisent pas les éditoriaux. La seule manière de les rejoindre, c'est par des petits dessins. Une caricature, c'est un outil pour faire la guerre. Oh, pas la grosse, la petite, pour passer des messages. Le message, ce n'est pas forcément la vérité, comme l'éditorial n'est pas nécessairement la vérité. Mais quand on vit dans une démocratie, où tout le monde a le droit de vote, il me semble que la page la plus importante dans un journal, c'est la page éditoriale. Avec la caricature, tu fais ta petite part pour ou contre.»

«Je me souviens d'une caricature de MacPherson qui avait dessiné René Lévesque avec une ceinture faite de bâtons de dynamite. Côté anglophone, ils pouvaient tout se permettre, nous on ne pouvait jamais répondre. Ils tapochaient sur les Canayens et on restait là comme des moutons, nous autres du Manitoba. La marmite a toujours bouillonné, mais vraiment, pendant les années 70, ça y allait pas mal fort dans la presse anglophone. Les Canayens, c'était comme la mafia, des bandits. T'es pas pour rester là et être d'accord, même si des fois t'es d'accord. Au bureau, je disais aux autres fonctionnaires : Si vous voulez parler, parlez fort, pas en cachette! C'était vraiment une grosse guerre d'émotions. Leur répondre, leur répondre, ça m'a longtemps bouleversé.»

Robert Bourassa, premier ministre du Québec (10 juin 1988)

Si Réal Bérard a dû attendre longtemps avant de rendre la monnaie de la pièce aux anti-francophones de tous poils, en revanche Cayouche a eu — malheureusement — assez vite l'occasion de donner la réplique aux caricaturistes anglophones. En effet, la crise à rebondissements au sujet de l'article 23 de la *Loi du Manitoba* concernant l'enchâssement de services en français a éclaté quelques mois seulement après son arrivée à *La Liberté*. Le Manitoba français avait enfin une voix pour répliquer d'égal à égal.

Un commentaire général sur les politiciens? «Les politiciens? Je m'attends à voir des visionnaires. Mais j'en vois de moins en moins. Pour moi, il y a eu dans l'histoire récente Pierre Trudeau et Duff Roblin. Comme premier ministre du Manitoba, Duff Roblin a su voir, penser à long terme. La construction du canal de dérivation pour Winnipeg est un exemple. Mais surtout, il a redonné aux Canayens le droit à l'enseignement en français à 50 pour cent. Dans ce temps-là, au début des années soixante, c'était pas croyable.»

Il faut aussi dire que certaines caricatures ne sont pas tendres pour les Américains... «Il faut comprendre que je ne critique pas le peuple, mais la politique du gouvernement américain. Maintenant, évidemment, le gouvernement représente le peuple, et d'ordinaire, le gouvernement c'est le miroir du peuple...»

Laurent Desjardins et les médecins (29 octobre 1982)

Pierre Elliott Trudeau (21 janvier 1983)

Alfred Monnin,
juge en chef du Manitoba
(20 mai 1983)

(28 janvier 1983)

Droits linguistiques au Manitoba (19 avril 1983)

Le conservateur Sterling Lyon et la francophonie (3 juin 1983)

Recul sur les engagements linguistiques (20 janvier 1984)

(1er juillet 1983)

(6 janvier 1984)

Sterling Lyon et son successeur, Gary Filmon (3 février 1984)

Dommage que Sterling le renard soit devenu la conscience de Pinocchio (24 février 1984)

John Turner (6 avril 1984)

Retour de la peine de mort? (2 novembre 1984)

Après les élections fédérales (21 septembre 1984)

À chacun son uniforme (19 octobre 1984)

Départ de René Lévesque (5 juillet 1985)

Petro-Canada achète Gulf (23 août 1985)

(15 juin 1984)

Sharon Carstairs, chef des libéraux manitobains (6 septembre 1985)

Élections au Manitoba
(14 mars 1986)

Sharon Carstairs, unique député libéral élu (21 mars 1986)

L'anti-bilinguisme Russ Doern (13 décembre 1985)

Bill Vander Zalm, premier ministre de Colombie-Britannique (22 août 1986)

(23 mai 1986)

Le premier ministre manitobain Howard Pawley (12 septembre 1986)

Le député fédéral de Saint-Boniface Léo Duguay et la peine de mort (20 mars 1987)

Howard Pawley (6 mars 1987)

Le ministre de l'Environnement, Gérard Lécuyer (7 novembre 1986)

Qui va remplacer
le député provincial Laurent Desjardins?
(4 septembre 1987)

(10 juillet 1987)

(22 mai 1987)

John Turner (25 septembre 1987)

Le syndicat des Postes (9 octobre 1987)

Libre-échange (16 octobre 1987)

Preston Manning, chef du Reform Party (6 novembre 1987)

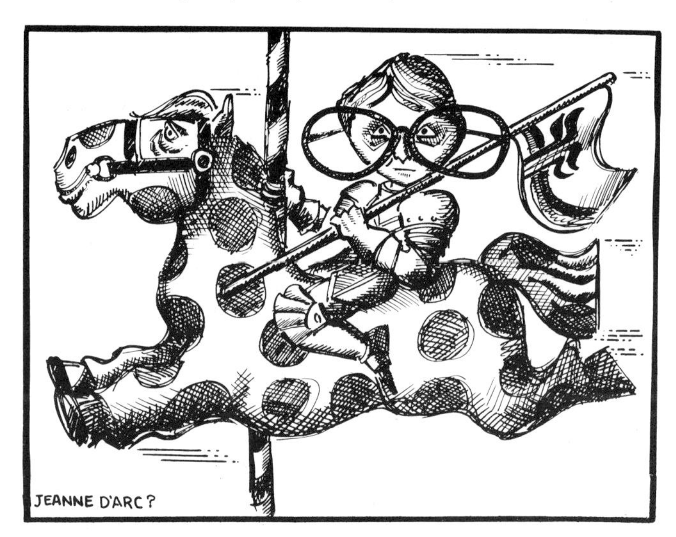

Lucille Blanchette, présidente de la Société franco-manitobaine (4 mars 1988)

Howard Pawley (20 novembre 1987)

Élections au Manitoba (22 avril 1988)

(26 février 1988)

Départ de Howard Pawley (11 mars 1988)

(17 février 1988)

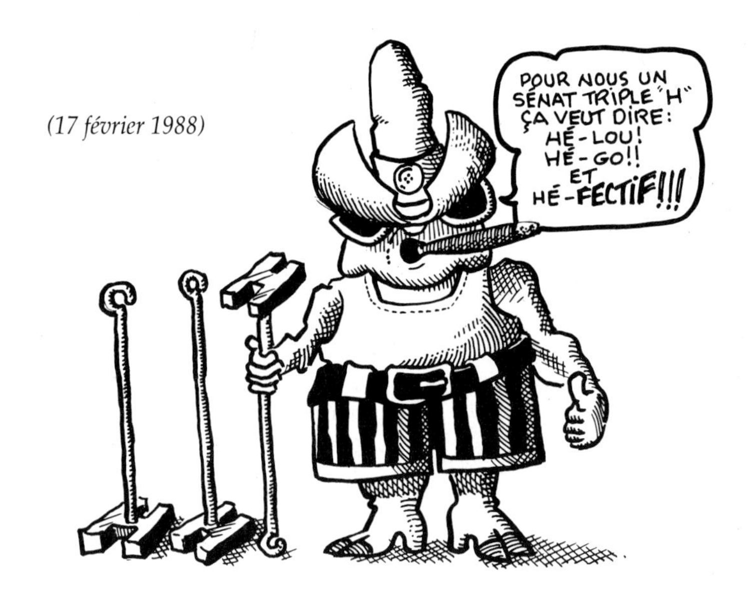

Le député fédéral Dan Mackenzie contre la Loi sur les langues officielles (19 février 1988)

Grassroots Manitoba brands French services back door bilingualism

Grant Russel (22 janvier 1988)

AUX ARMES, LES ABONNÉS!

Les "Amis de la Bibliothèque Publique d'Ottawa" est une association bénévole qui appuie votre bibliothèque. Votre soutien est essentiel. En devenant membre des "AMIS" vous aiderez le service personnel à domicile, l'achat de livres et autres activités de la bibliothèque.

Faites votre demande d'adhésion aujourd'hui à votre bibliothèque.

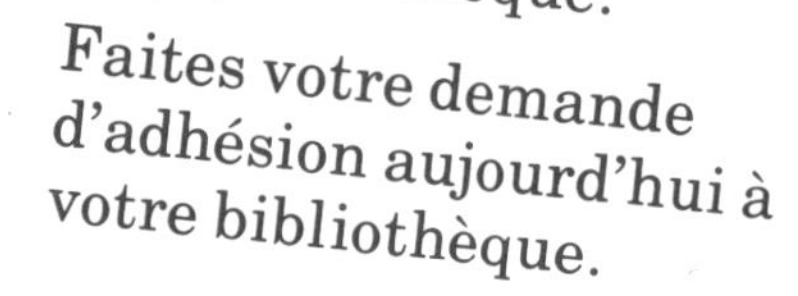

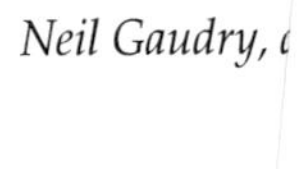

Neil Gaudry, … 8)

Élections provinciales à Saint-Boniface (15 avril 1988)

Le député provincial transfuge Gilles Roch (16 septembre 1988)

Le loup-garou, la bigaouette et le feu follet (11 novembre 1988)

Lemmus canadensis (24 juin 1988)

Avant les élections fédérales (23 septembre 1988)

Départ d'Ed Broadbent,
chef du NPD fédéral
(3 mars 1989)

Le droit des cochons canadiens (5 mai 1989)

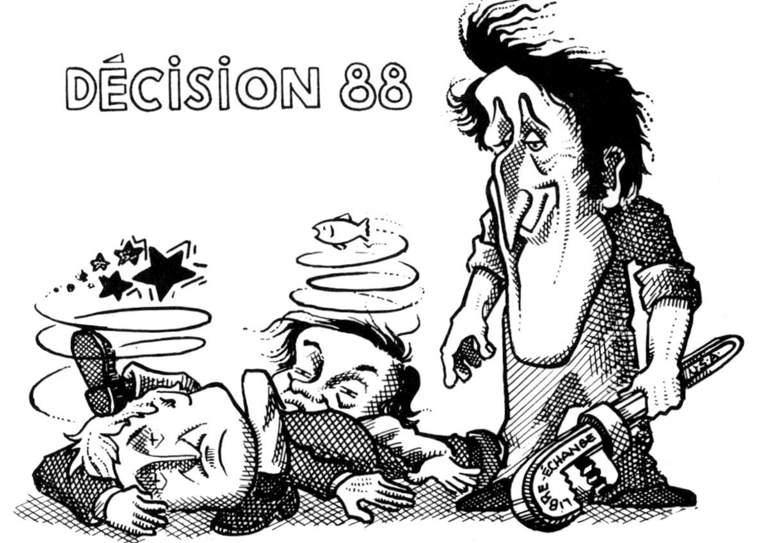

Après les élections fédérales (25 novembre 1988)

Renouveau à la Société franco-manitobaine? (26 mai 1989)

Problèmes chez les scouts (2 mars 1990)

L'avocat Guy Jourdain bilinguise les parcomètres à Saint-Boniface (23 juin 1989)

(18 mai 1990)

(19 janvier 1990)

(30 mars 1990)

Jean Chrétien et Sharon Carstairs (25 mai 1990)

Chariot de la Rivière-Rouge (22 juin 1990)

Le député provincial manitobain Elijah Harper dit non au lac Meech (6 juillet 1990)

(20 juillet 1990)

Après les élections provinciales (14 septembre 1990)

La fin du lac Meech (21 septembre 1990)

La retraite du sénateur Jos Guay (30 novembre 1990)

La guerre du Golfe (15 mars 1990)

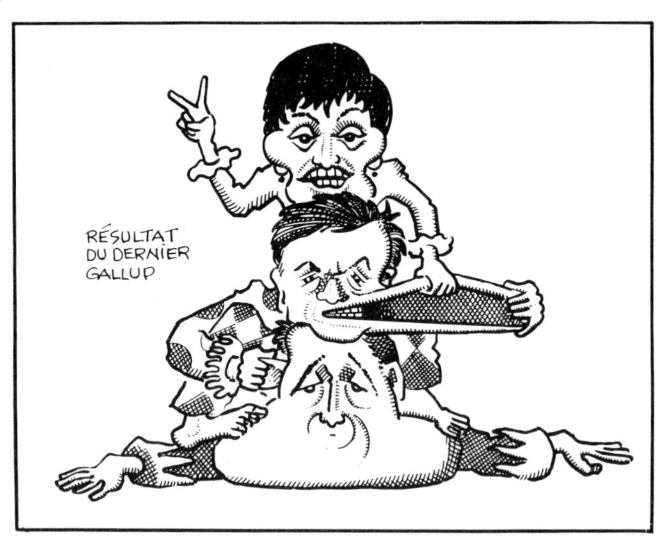

(7 décembre 1990)

Jean Chrétien, chef des libéraux fédéraux (29 juin 1990)

Impasse constitutionnelle (26 avril 1991)

Joe Clark, ministre des Affaires constitutionnelles (15 novembre 1991)

Preston Manning (21 juin 1991)

Pierre Trudeau et les Québécois (11 octobre 1991)

C'EST LE COR
(L'KLAN DES KLOUS KROCHES)
QUI SIÈGE COMME L'OPPOSITION OFFICIELLE
DANS L'GOUVERNEMENT MACKINAW.

Après les élections au Nouveau-Brunswick
(8 novembre 1991)

(29 novembre 1991)

Lucien Bouchard, chef du Bloc québécois et Preston Manning (17 janvier 1992)

(24 janvier 1992)

(16 janvier 1992)

La commission constitutionnelle Beaudoin-Dobbie (6 mars 1992)

Le chef Ovide Mercredi et la Constitution (21 février 1992)

Le premier ministre manitobain Gary Filmon et la question scolaire (20 mars 1992)

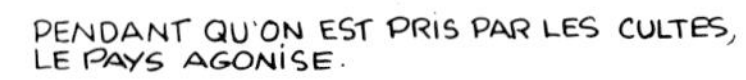

(3 avril 1992)

Preston Manning (24 juillet 1992)

(13 mars 1992)

Jeux olympiques (7 août 1992)

(5 septembre 1992)

LA VIE

«Les gens ne se voient
jamais vraiment comme ils sont.
Personne n'aime voir ses côtés faibles.»

Le hasard du calendrier a fait qu'à peine deux mois après l'arrivée de Cayouche à *La Liberté*, le docteur Henry Morgentaler annonçait son intention d'ouvrir une clinique à Winnipeg afin de pratiquer l'avortement. Sa caricature *Une odeur d'Auschwitz dans l'air* a été présentée au docteur Morgentaler par un journaliste lors d'une conférence de presse. Sa première réaction était prévisible, des accusations d'antisémitisme ont été portées, des articles ont été écrits jusque dans le *Globe and Mail*, la Société franco-manitobaine, propriétaire du journal, a cru bon de s'excuser publiquement. Réal Bérard raciste? Allons donc!

«Encore une fois, on s'attaque aux idées, pas à la personne. La caricature n'avait rien à voir avec les Juifs. Je ne savais pas que les antisémites en Europe représentaient les Juifs avec des oreilles de cochon, ni que son chapeau était porté par les Juifs à une certaine époque. Si je l'avais su, je n'aurais pas fait les oreilles en pointe et je lui aurais dessiné un chapeau d'employé de McDonald. Personnellement, j'aime la force de caractère de Morgentaler, son acharnement, sa détermination. Mais là, je trouvais tout simplement qu'il faisait du travail de cochon, ou je devrais dire du travail inhumain, parce que des fois, les cochons me paraissent plus humains que certains humains. Et je vois les cliniques pour avortement comme des centres d'extermination de vie qui me rappelle Auschwitz. Je ne regrette aucunement la caricature. Pour moi, elle illustre le conflit entre les forts et les faibles. À la fin du compte, je ne voulais même pas être méchant,

Henry Morgentaler (26 novembre 1982)

sinon je l'aurais vraiment représenté en boucher. Mais avec son chapeau *(les vendailleux et les pedleurs passaient avec ça dans le temps)* et ses bottines en caoutchouc, il n'a vraiment pas l'air d'un professionnel.»

Réal Bérard est-il d'accord avec tous les Cayouche? «Les gens ne se voient jamais vraiment comme ils sont. Personne n'aime voir ses côtés faibles. Alors, on se crée des illusions. Pourtant, l'autocritique c'est important, sinon tu ne peux pas évoluer. Mais tu ne peux pas passer ton temps à tapocher sur le monde. La controverse pour la controverse, non. C'est sûr qu'une complicité avec les lecteurs, c'est important, parce que les lecteurs, c'est comme des amis et les amis ont droit à leurs opinions. Alors puisque les finances ont beaucoup à faire avec les individus, puisque le budget préoccupe tout le monde, le Joual sympathise avec les gens, il prend un congé, il se range de leur côté.»

Mais il se reprend à Noël... «Il y a toujours un saudit boutte! Noël, c'est rendu une affaire de super-consommation. Je trouve que c'est pas normal que certains en profitent pour faire de l'argent. Les experts en publicité utilisent la psychologie de la vente et prennent avantage du monde et ça cause des tas de peines. Quand tu tètes, tu tètes de ton biberon, il n'y a pas de question. Mais là, il me semble des fois que c'est juste une masse de gloutons sans fond à leur estomac, une affaire de bébelles, de qui aura la plus grosse bébelle. On ne peut peut-être pas changer les gens, mais on peut crier : méfiez-vous de ça!»

Pâques (13 avril 1984)

(4 février 1983)

Henry Morgentaler (13 mai 1983)

Pâques (5 avril 1985)

(21 décembre 1984)

(25 avril 1986)

(16 décembre 1983)

(18 juillet 1986)

(13 juin 1986)

POURQUOI CHERCHEZ-VOUS PARMI LES MORTS CELUI QUI EST VIVANT? LUC 24-5.

Pâques (28 mars 1986)

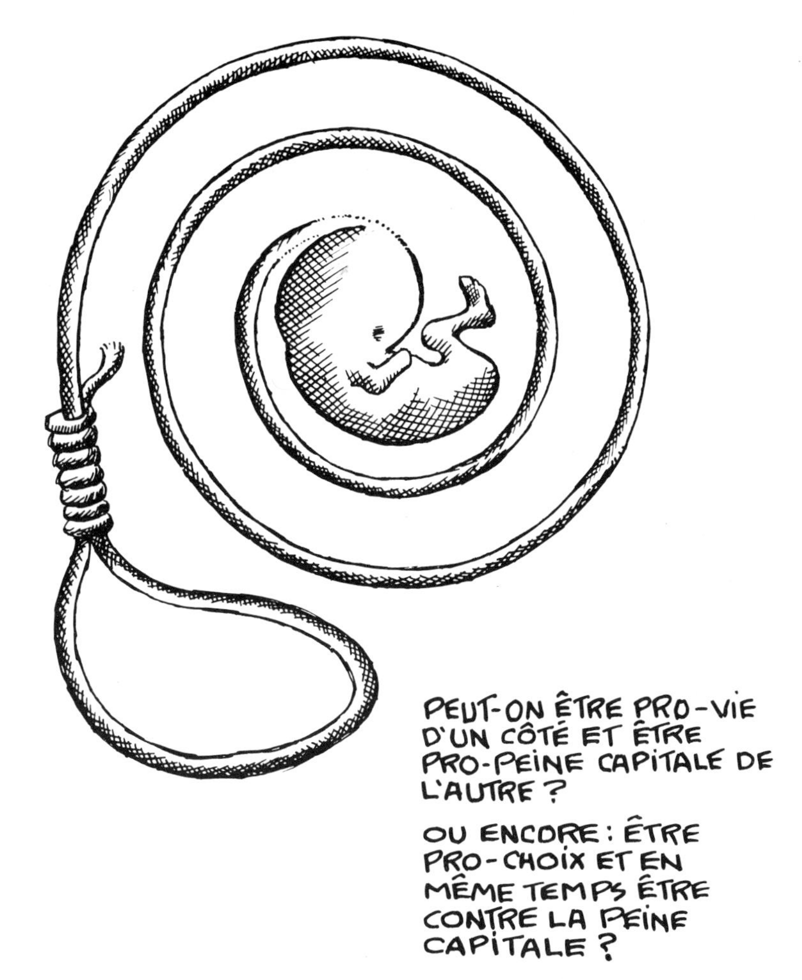

(1er mai 1987)

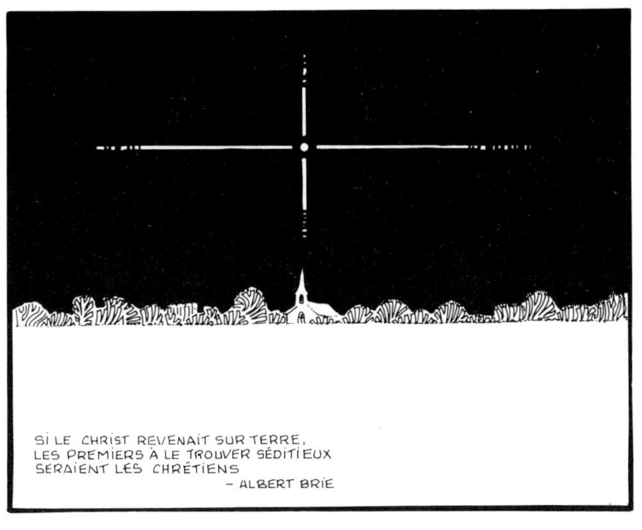

(25 décembre 1987)

Pâques (17 avril 1987)

LES ENFANTS ONT PEUR DES MASQUES :
AUTREMENT DIT, DES GRANDES PERSONNES.
— ALBERT BRIE

(8 juillet 1988)

Pâques (31 mars 1988)

(11 décembre 1988)

(12 février 1988)

(23 décembre 1988)

(7 octobre 1988)

(30 décembre 1988)

BAH! J'VA LEUR DIRE DE S'SACRER UNE COMPRESSE D'EAU FRET SUR LA TÊTE ET DE S'ASSOUÈR PAR TERRE AVANT D'ÉCOUTER ÇA!

Michael Wilson, ministre fédéral des Finances (21 avril 1989)

(5 août 1988)

Commissariat aux langues officielles (14 avril 1989)

Mort du Père Martial Caron, s.j. (9 juillet 1989)

(4 août 1989)

Feux de forêts au Manitoba (28 juillet 1989)

(18 août 1989)

Budget fédéral (23 février 1990)

(13 avril 1990)

(4 mai 1990)

(1er mars 1991)

(4 janvier 1991)

Noël (20 décembre 1990)

Budget fédéral (28 décembre 1990)

Budget manitobain (19 avril 1991)

Hommage à Cécile Mulaire, Madame Bicolo (28 juin 1991)

(20 septembre 1991)

Grève des Postes (30 août 1991)

(inédit)

Dan Mazankowski, ministre fédéral des Finances (28 février 1992)

(22 mai 1992)

(2 août 1992)

CHARRETTES DE LA RIVIÈRE-ROUGE.

(17 avril 1992)

LE MONDE

«Le monde actuel
est charrié par l'intelligence
plutôt que par la sagesse.
C'est pas acceptable,
c'est dangereux.»

«J'avais 5 ans, c'était un matin de septembre, j'ai vu le globe terrestre sur le bureau de l'institutrice à l'école de Saint-Pierre-Sud. La Terre avait la forme d'un gros ballon. Pas croyable! Mais comment on ne tombait pas en bas? Et d'un coup que la boule se décroche? Et puis mémère — Emma Barnabé, la mère de mon père, Antoine Bérard — m'a expliqué l'éclipse lunaire. La grande courbe, c'était l'ombre de la Terre! J'ai vécu très près de ma grand-mère. C'était une ancienne institutrice, qui ne montrait jamais de hauts ou de bas, elle dégageait un équilibre, je ne lui ai jamais connu d'extrêmes. Elle connaissait les idées crochues des enfants et pour nous calmer, elle nous racontait des histoires de fantômes, de revenants, de châteaux, de mystères, de squelettes qui descendaient des marches, ouvraient des portes, puis d'autres portes. C'était le grand monde du surréalisme.»

«Ma mère, Léona Hébert, qui jouait le piano, m'a toujours poussé à dessiner. À 8 ans, pour Noël, j'ai eu des peintures à l'huile. À cette époque, les seuls tableaux que je voyais étaient à l'église. Le curé Jolys avait commandé ses huiles sur toile de Paris; des tableaux remplis de nuages, d'anges, de personnages. Pour moi l'église était à la fois galerie d'art et salle de concert. Un véritable opéra!»

Ronald Reagan, président des États-Unis (10 octobre 1986)

«Aujourd'hui, on parle du ministère de l'Éducation, mais ça devrait être le ministère de l'Instruction. L'instruction, c'est l'apprentissage du calcul, de la lecture, c'est le règne du par cœur. L'éducation, ça vient plus de l'école de la vie. L'éducation peut marcher sans l'instruction, mais l'instruction ne peut pas marcher sans l'éducation. Seulement, on confond pas mal tout et on voit le résultat dans les comportements.»

«Le Joual, c'est peut-être la sagesse qu'il recherche le plus; beaucoup plus que l'intelligence. Parce que la sagesse, c'est l'école de la vie, c'est un niveau plus élevé que l'intelligence, qui est cérébrale, alors que la sagesse est au-dessus du cérébral, elle est enracinée dans l'intuition. Le monde actuel est charrié par l'intelligence plutôt que la sagesse. C'est pas acceptable, c'est dangereux. Il doit être piloté par la sagesse, qui peut marcher seule, alors que l'intelligence n'y arrive pas. Le roi Salomon avait demandé la sagesse, pas la richesse ou l'intelligence.»

«Pour le Joual, le Petit Prince de Saint-Exupéry, c'est le petit bonhomme de la paix, celui qui n'a jamais compris les adultes. C'est un symbole du pacifisme et de la paix internationale tellement plus fort qu'Amnisty International.»

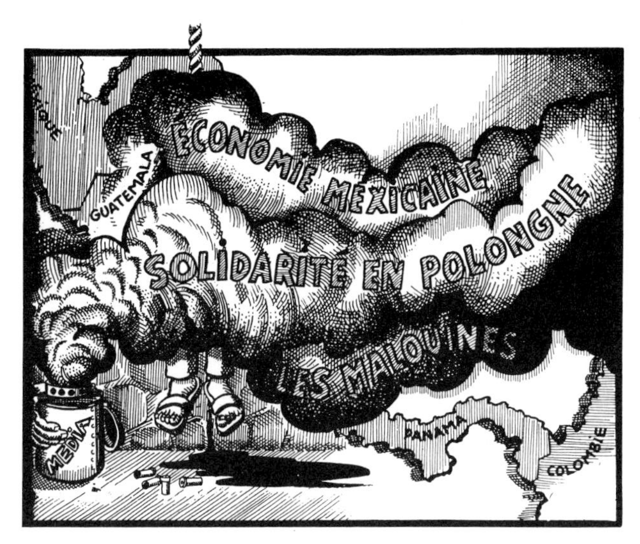

Rideau de fumée sur l'Amérique centrale (10 décembre 1982)

LA BALLOUNE DU VIEUX CLOUNE
POURRAIT S'TERMINER PAR UN BOUM!

(11 février 1983)

(23 mars 1984)

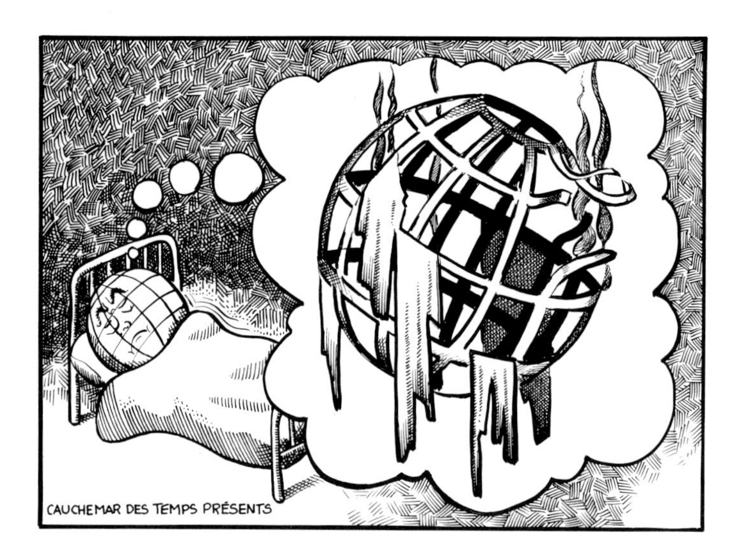

(27 juillet 1984)

(19 septembre 1985)

(18 avril 1986)

Ce que les Américains ont semé, les Chiliens le récoltent (19 septembre 1986)

Le petit Christophe portant son Dieu (6 juin 1986)

Afrique du Sud (27 juin 1986)

(10 avril 1987)

(30 janvier 1987)

(5 décembre 1986)

L'épouvantail va-t-il survivre? (6 mars 1987)

Corazon Aquino, présidente des Philippines (26 août 1988)

Le général Augusto Pinochet (2 septembre 1988)

Le synode des évêques à Rome (13 novembre 1987)

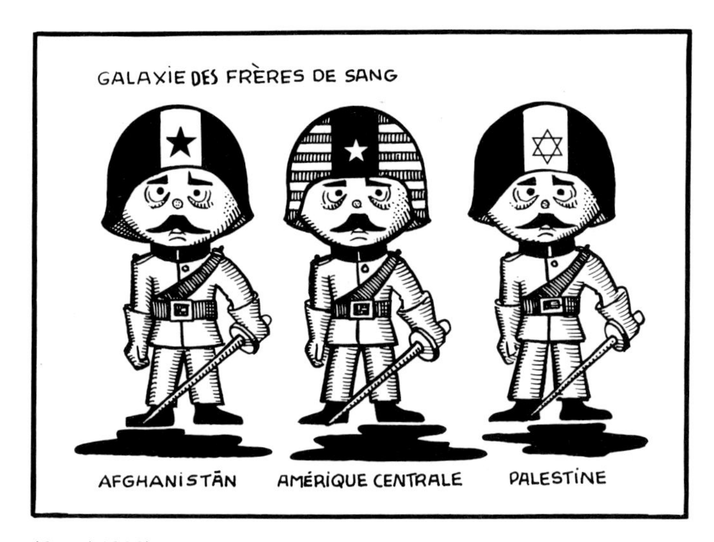

(6 mai 1988)

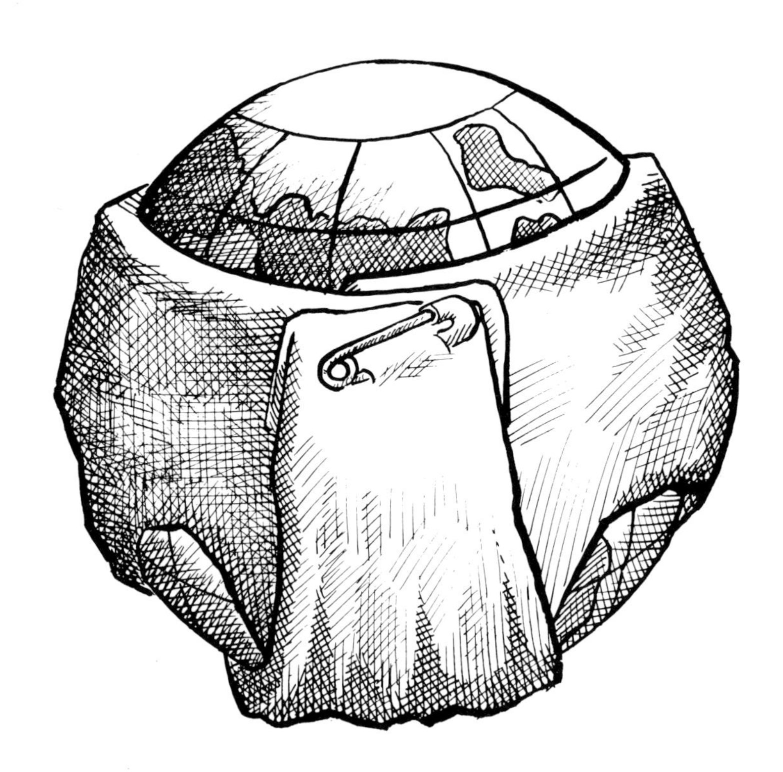

(30 juin 1988)

Ronald Reagan et la divination (20 mai 1988)

(31 mars 1989)

"LE MONDE ATTEND, POUR ENTRER DANS UNE ÈRE
D'HARMONIE ET DE PAIX,
QUE S'ÉVEILLE ET S'ALLUME LA SAGESSE".
PLACIDE GABOURY

(24 mars 1989)

Certains pays devraient changer de devise ou de comportement (27 janvier 1989)

(9 juin 1989)

AVANT DE
PÉTER D'LA BROUE
AVEC L'ÉGALITÉ,
LA LIBARTÉ,
ET LA FRATARNITÉ
Y FAUDRA P'ÊTRE
COMMENCER PAR
S'DÉBARASSER
DES CLASSES SOCIALES!

Révolution française: bicentenaire (6 octobre 1989)

(1er septembre 1989)

SANS TROMPETTES
NI GRANDS CRIS
UN MUR SÉCROULE

(17 novembre 1989)

(27 avril 1990)

George Bush (12 janvier 1990)

(2 février 1990)

(25 janvier 1991)

(13 juillet 1990)

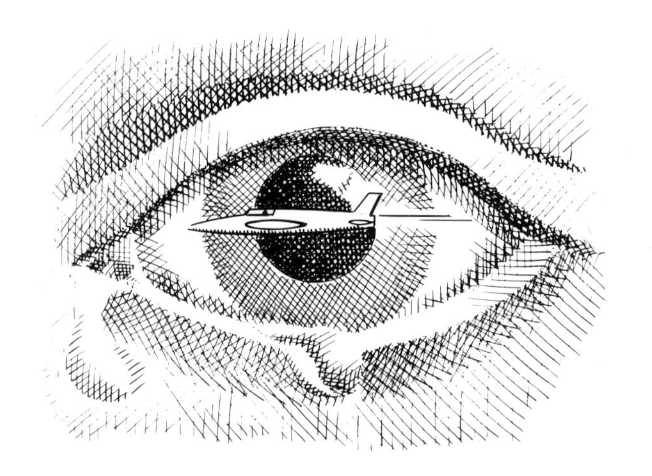

Invasion du Koweït (17 août 1990)

LES SOLDATS
DEVIENDRONT-ILS
TROUBADOURS ?

Fin du Pacte de Varsovie (24 août 1990)

(28 septembre 1990)

Avant la guerre du Golfe (31 août 1990)

Après la guerre du Golfe (22 mars 1991)

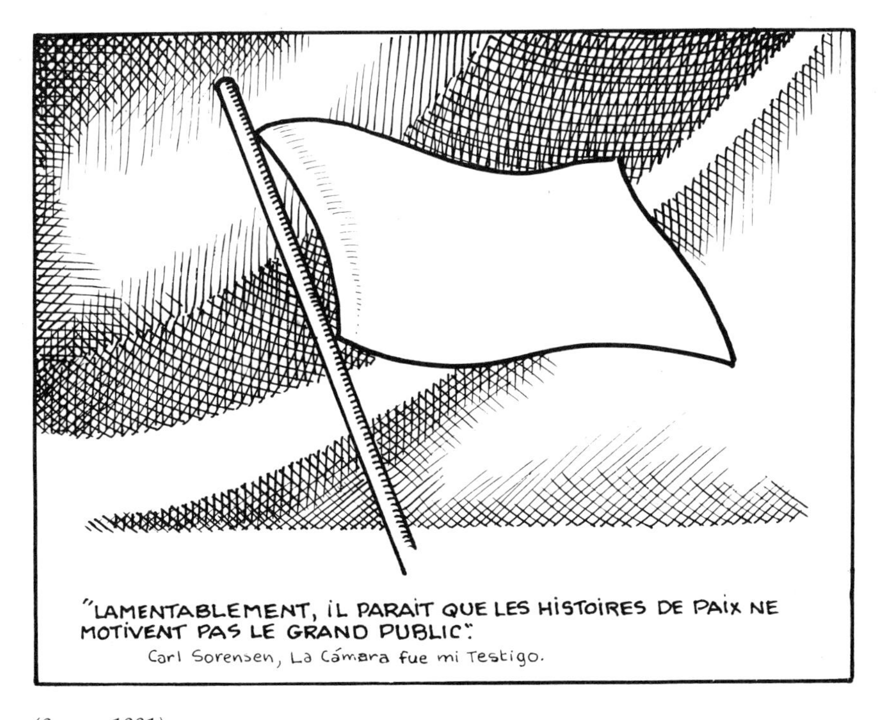

(8 mars 1991)

Les pervers du libre-échange (14 juin 1991)

Coup d'État en Haïti (4 octobre 1991)

LE MONDE DES GUERRES A TROP DURÉ. IL FAUT SORTIR DE TOUTE FORME D'AUTORITARISME OU D'OPPRESSION EXTÉRIEURE, POUR ENTRER DANS UN UNIVERS, SANS PRESTIGE, SANS PRÉTENTION, SANS POSSESSIVITÉ.

PLACIDE GABOURY,
L'HOMME QUI COMMENCE.

(14 février 1992)

SI LES DROITS DE L'OR NOIR SONT SAUVAGEMENT PROTÉGÉS PAR LA GRANDE DÉMOCRATIE, QUI DÉFENDRA LES DROITS DES PEUPLES DE RACE NOIRE CONTRE LES SAUVAGERIES DE LA GRANDE DÉMOCRATIE ?

(15 mai 1992)

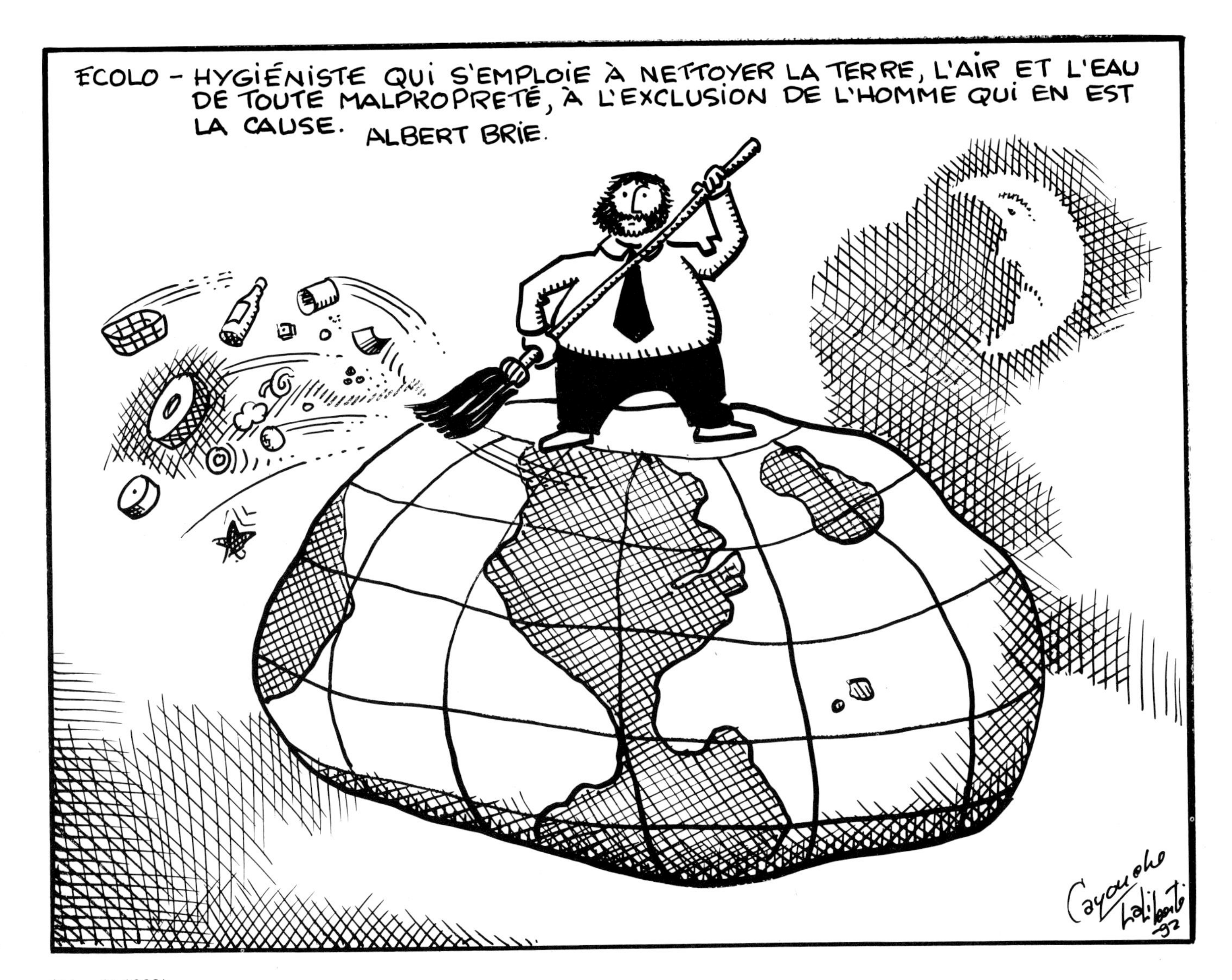
ECOLO - HYGIÉNISTE QUI S'EMPLOIE À NETTOYER LA TERRE, L'AIR ET L'EAU DE TOUTE MALPROPRETÉ, À L'EXCLUSION DE L'HOMME QUI EN EST LA CAUSE.
ALBERT BRIE.
Cayouche
Laliberté '92

(14 août 1992)

LE JOUAL

«À Joualville, au moins,
il n'y a pas
de menace
de coup d'État!»

«J'ai toujours eu une affection particulière pour les chevaux. Cayouche, c'est la prononciation métisse pour le petit joual sauvage des Prairies, aujourd'hui disparu. La première fois que j'ai dessiné le Joual, c'était en 1980, un cadeau de Noël pour mon frère Raymond, un gros fumeur de pipe. À ce moment-là, il avait un cheval, pas méchant, mais qui s'était mis à mordre les bêtes à cornes après qu'un accident l'avait rendu borgne. Avec les enfants, il est toujours resté de première classe. Mais j'ai l'impression que s'il y avait eu des politiciens aux alentours, il les aurait mordus comme les vaches!»

«Les enfants isolés, dans les campagnes, se faisaient leur monde. Il n'y avait pas d'argent pour les jouets, alors on s'en fabriquait. Mon père était forgeron et il y avait un tas de ferraille à côté de la forge, avec toutes sortes de belles choses dedans : des vieux sièges, des volants de tracteurs. On jouait à bâtir des engins, les tuyaux nous servaient à construire des orgues. On jouait aussi aux chevaux avec des bouteilles de toutes sortes de couleurs. Les bouteilles de vin, c'étaient des gros chevaux; une bouteille pas comme une autre, c'était un joual de pedigree; une bouteille de lait de magnésie, c'était un cheval bleu. On emmenait nos bouteilles à l'école. Des fois, je me sens encore à jouer des bouteilles!»

«Le monde de Cayouche s'est progressivement développé. D'après ce qu'on peut voir, Joualville est une espèce de paradis. Il y a une forge. Ça doit être un gros village! Et il doit y avoir une imprimerie, parce qu'il y a un journal, qui fonctionne sans octrois, comme le poste de radio. Mais il n'y a pas d'école et d'enseignant : les enfants s'entre-enseignent, ils trustent plus le système! Je ne pense pas qu'il y ait du chômage à Joualville, même s'il y a de la parenté en masse chez les percherons. D'ailleurs, ils aiment se mélanger et je ne serais pas surpris que le ministre des Finances soit un orignal.»

«Le monde de Joualville pourrait se permettre l'anarchie si tous étaient totalement raisonnables. Mais il y a quand même le danger des trois coups : le coup d'eau, le coup d'avoine et le coup de soleil. Ce sont les trois maladies mortelles des chevaux, et elles empêchent d'avoir une belle anarchie. Au moins, il n'y a pas de menace de coup d'État, parce que les Joualvillois se méfient des attelages : si la bureaucratie et les octrois rentraient, ça serait la mort, la chose la plus immorale qui puisse arriver. Mais Joualville reste fidèle à l'image de la vieille époque. Et peut-être d'une époque à venir. Parce que souvent, le passé se répète dans le futur.»

(23 décembre 1983)

(17 février 1984)

(31 août 1984)

(9 mars 1984)

(3 août 1984)

(1er août 1986)

(1er novembre 1985)

(14 février 1986)

(16 décembre 1988)

(17 octobre 1986)

États généraux de la francophonie manitobaine (23 janvier 1987)

(7 avril 1989)

(31 mars 1988)

(29 janvier 1989)

(30 juin 1989)

(21 juillet 1989)

(19 août 1989)

(13 octobre 1989)

(29 décembre 1989)

PUISQUE NOUS SOMMES TOUS
DES PARTICULES
DE L'UNIVERS,
DEVERIONS-NOUS
COMMENCER À PENSER
QUE NOTRE PAYS,
C'EST LA TERRE
ET QUE NOTRE RACE
C'EST L'HUMANITÉ

Folklorama (11 août 1989)

(12 octobre 1990)

(9 novembre 1990)

(11 mai 1990)

(20 avril 1990)

(26 janvier 1990)

(8 juin 1990)

(6 avril 1990)

(1er juin 1990)

(5 avril 1991)

(21 décembre 1990)

(10 mai 1991)

(29 juillet 1988)

Folklorama (16 août 1991)

(26 juillet 1991)

(6 décembre 1991)

Rêve d'un vieux fumeur (31 mai 1991)

(7 février 1992)

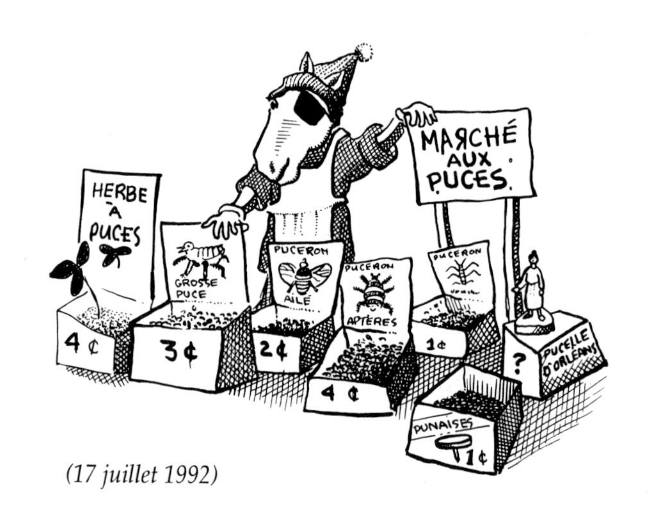

(17 juillet 1992)

(8 mai 1992)

(1er mai 1992)

(26 septembre 1992)

RÉAL BÉRARD, ARTISTE

«Nous devons accepter notre existence aussi complètement qu'il est possible. Tout, même l'inconcevable, doit y devenir possible. Au fond, le seul courage qui nous est demandé est de faire face à l'étrange, au merveilleux, à l'inexplicable que nous rencontrons.»

Rainer Maria Rilke
Lettres à un jeune poète
le 12 août 1904.

«Parler de Réal Bérard l'artiste, c'est avant tout parler de l'homme». Voilà comment Bernard Mulaire, responsable des expositions au Centre culturel franco-manitobain, concluait une brève présentation d'œuvres qu'il avait réunies pour une exposition au Centre culturel franco-manitobain en 1975. Le texte de la plaquette, publiée aux Éditions du Blé, était intitulé *Un art au service de la société.*

Dans le cadre de ses activités au ministère des Ressources naturelles du Manitoba, Réal Bérard est devenu durant les années soixante conseiller artistique du Festival des trappeurs à Le Pas, dans le Nord manitobain. Il a notamment créé le personnage de Old Willie Whiskers, dont le nom a été soumis par un jeune suite à un concours. Willie Whiskers est dorénavant un des éléments de l'identité de Le Pas.

On ne pouvait mieux l'exprimer : Réal Bérard fait tout simplement partie de ces personnes nées artistes, comme on naît Noir ou Blanc ou Métis. Graveur, peintre, illustrateur, sculpteur, caricaturiste, il exerce son art avec un égal bonheur, une égale authenticité devrait-on plutôt dire, tant ses œuvres portent sa marque. Si bien que même des gens peu versés en matière artistique reconnaissent aisément un Bérard.

«En plus de son travail d'illustrateur au gouvernement provincial, Réal Bérard accorde couramment ses services à un grand nombre de groupes, d'associations et de sociétés. Collaboration qui l'amène à produire sigles, cartes d'invitation, affiches et brochures, à illustrer volumes et périodiques, de telle sorte qu'on puisse suggérer que tous, au Manitoba, aient, un jour ou l'autre, vu ou eu sous la main un objet conçu ou décoré par Réal Bérard». Ce que soulignait en 1975 Bernard Mulaire, auteur d'un mémoire de maîtrise sur le sculpteur canadien Olindo Gratton, vaut plus que jamais. De nombreuses nouvelles œuvres ont été créées depuis cette date.

Ainsi, entre autres, une vierge métisse s'est jointe au Christ de la cathédrale de Saint-Boniface, un buste de Louis Riel s'élève à l'entrée du Musée de Saint-Boniface, un bronze de Dom Benoît veille sur Notre-Dame-de-Lourdes, des millions de personnes à travers le monde ont vu son dessin animé *Jours de Plaine*, produit par l'Office national du film et présenté au Festival international de Cannes en 1990. Il faut aussi mentionner que le doyen des neigistes du Canada a, avec son équipe d'amis, remporté plusieurs premiers prix à des concours de sculptures sur neige dans l'Est, dont le Concours international de Québec.

Réal Bérard a pris sa retraite à 55 ans en septembre 1990 afin de se consacrer pleinement à son art. Parmi les projets qui lui tiennent spécialement à cœur : poursuivre l'établissement de cartes de canotage, hommage à ces bois et rivières du Manitoba, témoignage aussi à leurs habitants, les autochtones et ces

Réal Bérard, 1992

trappeurs et prospecteurs, dont il veut garder vivace la mémoire. «Tout chez Réal Bérard se rencontre dans les cartes de canotage», soulignait Bernard Mulaire. Encore, on ne peut faire remarque plus juste. Tout Réal Bérard se retrouve dans ses cartes de canotage : amour de la nature, de l'histoire, respect pour les gens aux vies vécues dans la fidélité à soi-même, besoin de savoir, d'approfondir.

Et il trouve toujours, l'artiste qui cherche en n'observant qu'un minuscule espace à la fois. «Un professeur aux beaux-arts disait : même dans un mauvais tableau, fouillez chaque petit recoin, il y a forcément quelque chose de bon. Prenez-le et poussez-le au bout. Je prends ce conseil comme une philosophie de la vie : il ne faut jamais se décourager, il faut rechercher les petits trous d'espoir. À la fin du compte, il y a toujours quelque chose d'utile. L'oncle Stanislas, qui vivait avec nous à la Rivière-aux-Rats, passait toujours au printemps à travers les restes de patates germées. Il voulait trouver ce qui était encore bon.»

Et lorsqu'on a découvert ce qui est bon, il faut le mûrir en son for intérieur. «Le plus tu te cales dans le monde de la création, le plus tu as besoin de solitude, de discipline volontairement imposée. Dans la solitude, on retourne à soi, on prend mieux conscience de son énergie personnelle, on est plus branché sur l'univers. Les mondes d'intuitions en nous fonctionnent peut-être mieux dans la solitude.»

Comment dire mieux l'appel de la création? Réal Bérard est de ceux qui savent trouver dans les petites choses les grandes réalisations. La sagesse passe par l'humilité, la force naturelle de ceux qui ont accepté de suivre leur route en respectant toutes ses profondeurs.

Pour la Société historique de Saint-Boniface, Réal Bérard a créé de nombreuses cartes d'invitation pour des conférences. L'une, en 1975, portait sur le deuxième archevêque de Saint-Boniface, Mgr Adélard Langevin, un catholique avant toute considération linguistique. «Il utilisait les finances des Canayens pour financer les écoles galiciennes et catholiques de Winnipeg. Il avait aussi un côté pompeux, fanfaron, qui intimidait les gens dans les campagnes.» On lui doit l'actuelle cathédrale, bâtie en 1908 et largement détruite par un incendie en 1968. Le nouvel édifice a été intégré aux ruines. «Sa cathédrale était un gros pétard, un tape-à-l'œil plein de faux marbre. Le feu l'a purifiée.»

La légende des clairons (1982)

Echimamish (1981)

Dans l'œuvre de Réal Bérard, une intonation revient régulièrement, et si fortement qu'elle prend des accents incantatoires : les lignes magiques des aurores boréales. Il les appelle les clairons, et le mot s'impose : quand le ciel parle, il claironne ses histoires. Et tant pis si on ne les comprend pas toutes. «Dans le Nord du Manitoba, une des rivières se nomme Echemanish, la rivière-qui-coule-dans-les-deux-sens, que les Français appelaient la rivière Sainte-Thérèse et que les Anglais appellent Hayes River. Sur les bords de cette rivière, les Indiens font des offrandes au divin. Ils respectent le mystérieux, ce mystérieux qu'on retrouve dans les clairons. C'est magnétique, les clairons, ça te poigne, ça ne peut pas s'expliquer. Souvent, on arrive au bout du chemin, on ne peut pas aller plus loin. Alors, je retourne à Pascal, qui disait : La dernière démarche de la raison, c'est de reconnaître qu'il y a une infinité de choses qui la surpassent. Elle est bien faible si elle ne va pas jusque-là. *Et Pascal n'a rien inventé. Mais il a été capable de le dire. Il a trouvé mes couleurs, il est arrivé avec un rouge, un bleu, un vert, et c'est ça que je voulais dire. Alors nous autres, les handicapés des mots, on retourne aux couleurs. Avec la peinture, on peut se permettre de dire toutes sortes de choses. Il n'y a pas de limites. On peut manquer de mots, mais pas d'imagination.»*

«C'est avec les Inuit vraiment qu'on a appris à sculpter la neige. Jamais ils n'auraient utilisé de l'eau pour remodeler un morceau. La neige, c'est leur pays, ils la connaissent, ils comprennent les volumes, créent des sculptures aux compositions pleines de simplicité, utilisent une simple bêche affilée. C'est des gens pas prétentieux, bien terre à terre. On peut dire qu'ils ont influencé des sculpteurs à travers le monde en participant au Concours international de sculptures sur neige de Québec.» À gauche, Quand les missiles deviendront colombiers, *créée au Concours national de sculptures sur neige du Carnaval de Québec en 1989.*

En 1991, le dessin animé Jours de Plaine *a obtenu la Plaque d'or du Festival international de film de Chicago. «Pour* Jours de Plaine, *j'ai pris les paroles et la musique de Daniel Lavoie et je me suis laissé charrier. Après avoir entendu la chanson une première fois, une trentaine d'images me sont venues en tête. Le cinéma m'a toujours fasciné, surtout le fondu enchaîné. Finalement,* Jours de Plaine, *c'est 52 scènes qui se fondent durant six minutes les unes dans les autres. Tout le mouvement est celui des clairons.»*

L'ambiance était plutôt tendue dans le département des communications du ministère manitobain de la Culture, du Patrimoine et des Loisirs à la veille des élections provinciales d'avril 1988, qui ont résulté dans la chute du gouvernement néo-démocrate dirigé par Howard Pawley. Le fonctionnaire Réal Bérard n'appréciait guère ses supérieurs hiérarchiques. À son avis, ils devaient leurs postes au favoritisme politique. Il fit savoir qu'il souhaitait ardemment leur éviction après les élections en recourant à son arme préférée : la caricature. Toute une série de dessins ont abondamment circulé et lui ont valu une «réprimande écrite pour conduite inappropriée et insubordination». *Les caricatures avaient visiblement fait mouche.*

Pour marquer son 75e anniversaire, le journal La Liberté *a monté une exposition de Cayouche. Le premier ministre du Manitoba était présent au vernissage. «No hard feelings – Pas de rancune!» lui a dit Réal Bérard. Gary Filmon a bien volontiers avoué à cette occasion qu'il était sensible aux caricatures. «Nous les politiciens, on est aussi des humains. Quand on nous coupe, on saigne.»*

TABLE DES MATIÈRES

Achevé d'imprimer sur les presses
de Kromar Printing Limited, Winnipeg *(Manitoba)*,
pour le compte des Éditions du Blé
en octobre mil neuf cent quatre-vingt-douze.